A alma indomável

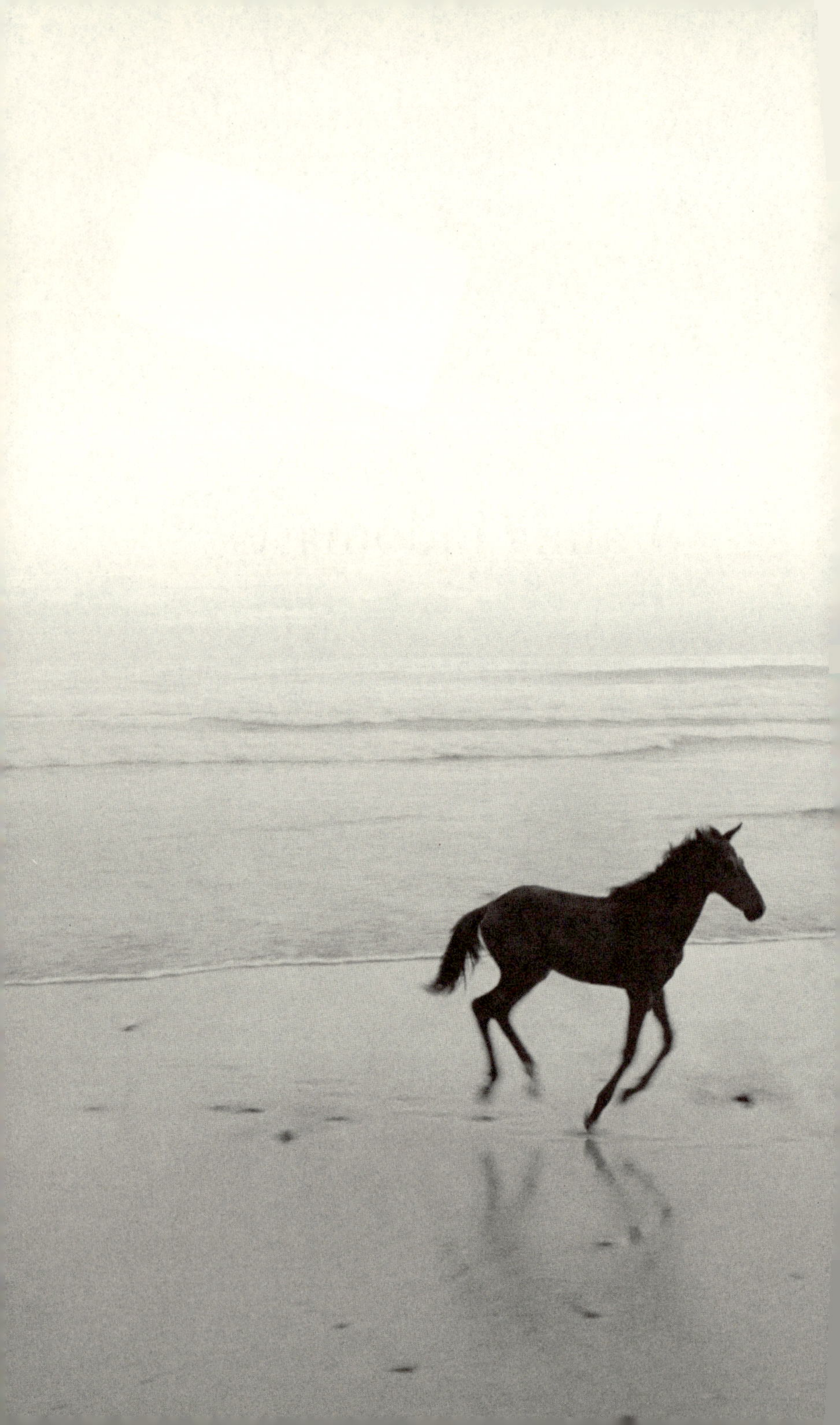

MICHAEL A. SINGER

A alma indomável

SEXTANTE

Título original: *The Untethered Soul*

Copyright © 2007 por Michael A. Singer
New Harbinger Publications, Inc.
5674 Shatluc Avenue
Oakland, CA 94609
www.newharbinger.com

Copyright da tradução © 2018 por GMT Editores Ltda.
A provisão de direitos autorais é parte integrante deste acordo e a permissão para publicação concedida pelo proprietário está sujeita à impressão correta do aviso de copyright.

Todos os direitos reservados. Nenhuma parte deste livro pode ser utilizada ou reproduzida sob quaisquer meios existentes sem autorização por escrito dos editores.

tradução: Beatriz Medina
preparo de originais: Rafaella Lemos
revisão: Ana Kronemberger e Tereza da Rocha
diagramação: Valéria Teixeira
capa: Amy Shoup
adaptação de capa: Miriam Lerner | Equatorium Design
imagem de capa: Rubberball/ Latinstock
impressão e acabamento: Associação Religiosa Imprensa da Fé

CIP-BRASIL. CATALOGAÇÃO NA PUBLICAÇÃO
SINDICATO NACIONAL DOS EDITORES DE LIVROS, RJ

S624a   Singer, Michael A.

A alma indomável/ Michael A. Singer; tradução de Beatriz Medina; Rio de Janeiro: Sextante, 2018.
208p.; 14 x 21cm.

Tradução de: The Untethered Soul
ISBN: 978-85-431-0619-9

1. Autoconsciência. 2. Emoções – Aspectos psicológicos. 3. Paz interior. I. Medina, Beatriz. II. Título.

18-48168
CDD 153
CDU 159.95

Todos os direitos reservados, no Brasil, por
GMT Editores Ltda.
Rua Voluntários da Pátria, 45 – Gr. 1.404 – Botafogo
22270-000 – Rio de Janeiro – RJ
Tel.: (21) 2538-4100 – Fax: (21) 2286-9244
E-mail: atendimento@sextante.com.br
www.sextante.com.br

Aos mestres

Sumário

Introdução   9

PARTE I   O despertar da consciência

    1   A voz dentro da sua cabeça   15
    2   Seu colega de quarto interior   23
    3   Quem é você?   32
    4   O Eu lúcido   40

PARTE II   A energia

    5   Energia infinita   51
    6   Os segredos do coração espiritual   60
    7   Transcendendo a tendência a se fechar   71

PARTE III   A libertação

    8   Desapegue agora ou se perca   85
    9   Removendo o espinho interior   96
   10   Conquistando a liberdade da sua alma   104
   11   Dor, o preço da liberdade   116

PARTE IV   Indo além

   12   Derrubando as paredes   129
   13   Muito, muito além   138
   14   Abra mão da falsa solidez   146

PARTE V   Vivendo a vida

15 O caminho da felicidade incondicional   161
16 O caminho espiritual da não resistência   169
17 Contemplando a morte   178
18 O segredo do caminho do meio   187
19 Os olhos amorosos de Deus   196

Referências bibliográficas   206

Agradecimentos   207

Introdução

"Mas, acima de tudo: seja fiel a si mesmo; segue-se disso, como o dia à noite, que não poderá então ser falso com homem algum." – William Shakespeare

As consagradas palavras de Shakespeare, ditas por Polônio a seu filho Laerte no primeiro ato de *Hamlet*, são muito claras. Elas nos dizem que, para manter relações sinceras com os outros, primeiro temos que ser fiéis a nós mesmos. No entanto, se fosse totalmente sincero consigo mesmo, Laerte perceberia que o pai poderia muito bem tê-lo mandado agarrar o vento. Afinal de contas, a qual "eu" devemos ser fiéis? Àquele que se revela quando estamos de mau humor ou ao que surge quando aprendemos com nossos erros? Àquele que fala dos recantos sombrios do coração quando estamos aborrecidos ou ao que aparece naqueles raros momentos em que a vida parece leve e fantástica?

A partir dessas perguntas, vemos que o conceito de "eu" pode ser um pouco mais complexo do que se presume. Se Laerte tivesse recorrido à psicologia tradicional, ela poderia ter lançado alguma luz sobre o assunto. Em 1927, Freud, o pai da psicologia, dividiu a psique em três partes: o id, o ego e o superego. Ele via o id como nossa natureza animal, primitiva; o superego como o sistema de julgamento que a sociedade instilou em nós; e o ego como nosso representante no mundo exterior que se esforça para manter em equilíbrio essas duas forças poderosas. Mas certamente isso não ajudaria o jovem Laerte. Afinal, a qual dessas forças conflitantes devemos ser fiéis?

Mais uma vez, vemos que as coisas nem sempre são tão simples quanto parecem. Se ousarmos olhar a palavra "eu" além da superfície, surgem algumas perguntas que muita gente preferiria não fazer: "Todos os vários aspectos do meu ser fazem igualmente parte do meu 'eu' ou apenas um deles corresponde ao que entendo por 'eu' – e, nesse caso, qual, onde, como e por quê?"

Nos capítulos a seguir, vamos percorrer uma jornada de exploração do "eu". Mas não o faremos da maneira tradicional. Não vamos recorrer a especialistas em psicologia nem aos grandes filósofos. Não discutiremos as mais antigas visões religiosas nem escolheremos uma entre elas. Tampouco vamos nos basear em pesquisas estatísticas de opinião popular. Em vez disso, recorreremos a uma única fonte que tem conhecimento direto sobre o assunto, ao único especialista que, a cada momento de todos os dias da vida, vem recolhendo os dados necessários para finalmente pôr fim a essa grande indagação. Esse especialista é você.

Mas, antes que você fique empolgado demais ou suponha que não está à altura da tarefa, é preciso deixar claro que não estamos atrás das suas visões ou opiniões sobre o assunto. Tampouco estamos interessados em quais livros leu, nos cursos que fez ou nos congressos a que compareceu. Só estamos interessados na sua experiência intuitiva de como é ser você. Não estamos em busca do seu conhecimento, mas da sua experiência direta. Você não tem como fracassar nessa tarefa, pois seu "eu" é o que você é em todos os momentos e em todos os lugares. É preciso simplesmente compreendê-lo. Afinal de contas, pode ficar bem confuso aí dentro.

Os capítulos deste livro não passam de espelhos para você ver seu "eu" de ângulos diferentes. E, embora a jornada em que estamos prestes a embarcar seja interior, ela levará em conta todos os aspectos da sua vida. A única exigência é que você esteja disposto a se olhar com franqueza, da maneira mais natural e intuitiva possível. Lembre-se: ao buscar a raiz do "eu", na verdade estamos buscando você.

Ao ler estas páginas, você vai descobrir que sabe muito mais do que imagina sobre alguns temas muito profundos. O fato é que você já sabe como se encontrar – só acabou se distraindo e ficando desorientado. Quando retomar o foco, você perceberá que, além da capacidade de achar a si mesmo, também tem o poder de se libertar. Essa escolha cabe inteiramente a você. Ao fim da sua jornada por estes capítulos, não haverá mais confusão, sensação de impotência nem a possibilidade de colocar a culpa nos outros. Você saberá exatamente o que deve ser feito. E, caso escolha se dedicar à jornada contínua de realização pessoal, você vai desenvolver um imenso respeito por quem realmente é. Só então passará a apreciar o significado do conselho de Polônio em toda a sua profundidade: "Mas, acima de tudo: seja fiel a si mesmo."

PARTE I

O despertar da consciência

CAPÍTULO 1

A voz dentro da sua cabeça

"Droga! Não consigo lembrar o nome dela. Qual era mesmo? Caramba, ela está vindo. É... Sônia? Sílvia? Ela me disse ontem. Qual é o meu problema? Vou passar a maior vergonha."

Caso ainda não tenha notado, há um diálogo mental incessante dentro da sua cabeça. Ele simplesmente não para. Já se perguntou por que isso acontece aí dentro? Quem decide o que dizer e quando? Quanto do que é dito se revela verdadeiro? Quanto é ao menos importante? E, se agora mesmo você estiver ouvindo "Não sei do que você está falando. Não tenho voz nenhuma dentro da cabeça!", essa é a voz de que estamos falando!

Se você for inteligente, vai dedicar algum tempo a dar um passo atrás, examinar essa voz e conhecê-la melhor. O problema é que você está perto demais para olhar com objetividade. É preciso recuar bastante e observá-la falar. Você ouve essas conversas internas o tempo todo. Quando está dirigindo, por exemplo:

"Eu não tinha que ter ligado para o Fred? É, tinha. Meu Deus, não acredito que esqueci! Ele vai ficar morrendo de raiva.

Nunca mais vai falar comigo. Será que eu devo parar para ligar para ele agora? Não. Não quero parar o carro agora..."

Observe que a voz faz os dois lados da conversa. Ela não se importa com isso, contanto que continue falando. Quando você está cansado, tentando dormir, é a voz dentro da sua cabeça que diz:

"O que estou fazendo? Não posso dormir agora. Esqueci de ligar para o Fred. Lembrei no carro, mas não liguei. Se não ligar agora... Ah, mas está muito tarde. Não dá para ligar agora. Nem sei por que pensei nisso. Preciso pegar no sono. Ah, droga, agora não consigo dormir. Perdi o sono. Mas tenho um dia cheio amanhã e preciso acordar cedo."

Não admira que não consiga pegar no sono! Como você tolera essa voz falando o tempo todo? Mesmo quando está dizendo algo agradável e reconfortante, ela ainda perturba tudo que você faz.

Ao passar algum tempo observando essa voz mental, a primeira coisa que você vai notar é que ela nunca se cala. Quando deixada por conta própria, ela só fala e fala. Imagine alguém andando de um lado para outro e falando sozinho. Você acharia isso estranho e se perguntaria: "Se é ele quem está falando e quem está escutando, é óbvio que ele sabe o que vai ser dito antes de dizer. Então para que fazer isso?" O mesmo vale para a voz dentro da sua cabeça. Por que ela está falando? É você quem fala e é você quem escuta. E quando essa voz discute? Com quem está discutindo? Quem poderia ganhar a discussão? Isso é de fato muito confuso. Escute:

"Acho que eu deveria me casar. Não! Você sabe que não está pronta. Vai se arrepender. Mas sou apaixonada por ele. Ah, vamos lá, você também era louca pelo Tom. E se tivesse se casado com ele?"

Se observar com atenção, você vai ver que a voz está apenas tentando encontrar um lugar confortável para sossegar. Ela trocará de lado num instante, se isso parecer ajudar. E não se cala mesmo quando descobre que está enganada. A voz simplesmente ajusta o próprio ponto de vista e segue falando. Se prestar atenção, esses padrões mentais se tornarão óbvios para você. É chocante perceber que a mente fala o tempo todo. Você pode até querer gritar com ela, na vã tentativa de calá-la. Mas aí vai perceber que isso é só a voz gritando com a voz:

"Cale a boca! Eu quero dormir. Por que você precisa falar o tempo todo?"

É óbvio que não dá para fazê-la se calar desse jeito. A melhor maneira de se libertar desse blá-blá-blá incessante é recuar e olhá-lo de forma objetiva. Apenas encare essa voz como um mecanismo de vocalização capaz de lhe dar a impressão de que há alguém aí dentro falando com você. Não pense nisso; apenas observe-a. Não importa o que ela diga, dá no mesmo. Não importa se diz coisas agradáveis ou maldosas, mundanas ou espirituais. Não importa porque, ainda assim, não passa de uma voz falando dentro da sua cabeça. Na verdade, a única maneira de se distanciar dela é parar de fazer distinção entre as coisas que ela diz. Pare de sentir que parte do que ela diz é você e parte não é. Se a está ouvindo falar, é óbvio que ela não é você. Você é quem escuta a voz. Você é quem percebe que ela está falando.

Você a escuta quando ela fala, não é? Faça com que ela diga "olá" agora mesmo. Repita isso algumas vezes. Agora grite "olá" aí dentro! Consegue se ouvir dizendo "olá"? É claro que sim. Há uma voz falando e há você – que percebe a voz falando. O problema é que é fácil percebê-la dizer "olá". Difícil é ver que não importa o que ela diga: tudo isso não passa de uma voz falando e você escutando. Não há absolutamente nada que ela possa dizer que seja mais você do que o resto. Suponha que você esteja olhando três objetos – um vaso de flores, uma fotografia e um livro – e lhe perguntem: "Qual desses objetos é você?" A sua resposta seria: "Nenhum deles! Eu sou aquele que olha o que colocam à minha frente. Não importa o que ponham diante de mim, sempre serei eu quem está olhando as coisas." Entende? Trata-se de um sujeito percebendo objetos variados. Isso também vale para a voz dentro da sua cabeça. Não faz a menor diferença o que ela diz; você é quem tem consciência dela. Quando pensa que uma coisa que ela diz é você, mas a outra não, você perdeu a objetividade. Talvez seja tentador achar que a parte que diz as coisas boas é você, mas, ainda assim, é apenas a voz falando. Você pode gostar do que ela diz, mas ela não é você.

Não há nada mais importante para o verdadeiro crescimento do que compreender que você não é a voz da mente; você é quem a ouve. A menos que você entenda isso, continuará tentando descobrir, entre as muitas coisas que essa voz diz, qual delas é realmente você. As pessoas passam por inúmeras mudanças tentando "se encontrar". Elas querem descobrir qual dessas vozes, qual desses aspectos de sua personalidade é quem realmente são. A resposta é simples: nenhum deles.

Se você observá-la objetivamente, verá que boa parte do que a voz diz não significa nada. A maior parte do falatório é apenas um desperdício de tempo e energia. A verdade é que a maior parte da vida vai se desenrolar obedecendo a forças que estão muito além do seu controle, a despeito do que a sua mente lhe diga. É como se sentar à noite para decidir se você quer ou não que o sol nasça pela manhã. Mas o sol nascerá de qualquer jeito. Bilhões de coisas estão ocorrendo neste mundo. Você pode pensar quanto quiser e, ainda assim, a vida continuará acontecendo.

Na verdade, seus pensamentos têm muito menos impacto no mundo do que você gostaria. Quando estiver disposto a ser objetivo e observar os seus pensamentos, você vai ver que a imensa maioria deles não tem a menor relevância. Eles não têm efeito sobre nada nem ninguém – apenas sobre você. Simplesmente fazem com que se sinta melhor ou pior diante do que está acontecendo agora, do que houve no passado ou do que pode ocorrer no futuro. É um desperdício de tempo ficar torcendo para não chover amanhã. Seus pensamentos não mudam a chuva. Algum dia você verá que essa conversa interior incessante não serve para nada e que não há razão para tentar entender tudo o tempo todo. Mais cedo ou mais tarde, vai ver que a verdadeira causa dos problemas não é a vida em si, mas a comoção que a mente cria diante dos fatos da vida.

Porém tudo isso levanta uma questão séria: se a maior parte do que a voz diz é sem sentido e desnecessário, então por que ela existe? O segredo para responder a essa pergunta está em compreender *por que* ela diz o que diz quando diz alguma coisa. Por exemplo, em algumas ocasiões a voz mental fala pela mesma razão que uma chaleira assovia: ou seja, há um acúmulo de energia que precisa ser liberado. Se observar bem, você verá que, quando há um acúmulo interior de nervosismo, medo ou desejo, a voz fica extremamente ativa. Isso é fácil de perceber quando você está zangado com alguém e tem vontade de repreender essa pessoa. Basta notar quantas vezes a voz interior já brigou com ela antes mesmo que você a encontrasse. Quando há um acúmulo de energia, você tem vontade de fazer algo para resolver isso. Então a voz fala porque você não está bem – e falar libera energia.

No entanto, você também vai notar que, mesmo quando não está muito incomodado com alguma coisa, ela continua falando. Ao andar pela rua, ela lhe diz coisas como:

"Olhe aquele cachorro! É um labrador! Ih, tem outro cachorro naquele carro. Lembra muito o meu primeiro cachorro. Uau, que carro antigo! Acho que nunca vi esse modelo circulando por aqui!"

Na verdade, ela está narrando o mundo para você. Mas por que você precisa disso? Você já vê o que está acontecendo no lado de fora; de que adianta repetir tudo para si mesmo com a voz da mente? É preciso examinar isso com muita atenção. Com uma simples olhada, você instantaneamente assimila a imensidade de detalhes de tudo o que está olhando. Ao ver uma árvore, sem esforço dá para ver os galhos, as folhas e os botões de flor. Por que então verbalizar o que você já viu?

> *"Olhe aquele ipê-branco! As folhas verdes ficam tão bonitas ao lado das flores brancas. Veja quantas flores! Uau, está todo florido!"*

Ao observá-la cuidadosamente, é possível entender que essa narração o deixa mais à vontade com o mundo à sua volta. É como estar no banco de trás dando instruções ao motorista – a situação parece estar mais sob seu o controle. Você sente que tem alguma relação com as coisas. A árvore não é mais só uma árvore do mundo que não tem nada a ver com você; é uma árvore que você viu, rotulou e avaliou. Quando a descreve mentalmente, você traz aquela primeira experiência direta do mundo para o domínio da mente, onde ela se integra aos outros pensamentos, como os que formam seu sistema de valores e suas experiências do passado.

Reserve um momento para examinar a diferença entre sua experiência do mundo exterior e suas interações com o mundo mental. Quando está apenas pensando, você é livre para criar os pensamentos que quiser – que, por sua vez, se exprimem pela voz interior. Você já se acostumou a se instalar no parquinho da mente para criar e manipular pensamentos. Esse mundo interior é um ambiente alternativo que está sob o seu controle. O mundo exterior, ao contrário, segue leis próprias. Quando a voz lhe narra o mundo, esses pensamentos ficam lado a lado, em paridade, com todos os outros. Todos eles se misturam e influenciam sua experiência do mundo. Na verdade, o que você acaba vivenciando é uma apresentação pessoal do mundo como você o vê, não a experiência pura e sem filtros da realidade como ela é. Essa manipulação mental da experiência exterior lhe permite amortecer os contornos do mundo. Por exemplo, você vê uma miríade de coisas a todo momento, mas só narra algumas. As que discute com a voz da mente são as que mais importam para você. Com essa forma sutil de pré-processamento, você consegue controlar a experiência da realidade para que tudo se encaixe na sua mente. Na verdade, a sua consciência lida com seu modelo mental da realidade, não com a realidade propriamente dita.

O tempo todo você faz coisas assim. Ao sair à rua no inverno, você começa a tremer e a voz diz: "Que frio!" Agora, em que isso o ajuda? Você já sabe que está frio, pois está sentindo frio. Por que a voz lhe diz isso? Você recria o mundo dentro da mente porque é capaz de controlá-la – ao contrário do mundo. É por isso que fala dele mentalmente. Como não pode fazer o mundo ser do jeito que gostaria, você o verbaliza internamente, o julga, se queixa dele e depois decide o que fazer. Assim se sente mais empoderado. Quando seu corpo sente frio na rua, talvez não haja nada a fazer. Mas, quando a mente verbaliza "Que frio!", você pode dizer: "Estamos quase chegando em casa, faltam só mais alguns minutos." Assim se sente melhor. No mundo do pensamento, sempre há algo a fazer para controlar a experiência.

Basicamente, você recria o mundo exterior dentro de si e depois passa a viver na própria mente. E se decidir não fazer isso? Se resolver parar de narrar e, em vez disso, só observar o mundo de maneira consciente, você vai se sentir mais aberto e exposto. Isso ocorre porque, na verdade, não dá para saber o que acontecerá em seguida, e sua mente está acostumada a ajudá-lo. Ela processa as experiências atuais de maneira que se encaixem em sua visão do passado e suas perspectivas para o futuro. Tudo isso ajuda a criar uma aparência de controle. Quando a sua mente não faz isso, você simplesmente se sente muito desconfortável. A realidade é real demais para a maioria das pessoas, por isso a moderamos com a mente.

A mente fala o tempo todo porque você lhe atribuiu uma tarefa e a usa como um mecanismo de proteção, uma forma de defesa. Em última análise, ela lhe traz segurança. Se é isso o que quer, você será forçado a usá-la constantemente para amortecer seu papel na vida em vez de vivê-la. O mundo está se desenrolando e, na verdade, tem pouquíssimo a ver com você e com seus pensamentos. Já estava aqui muito antes de você chegar e estará aqui até muito depois da sua partida. A pretexto de tentar manter o mundo em harmonia, você apenas tenta se manter em harmonia.

O verdadeiro crescimento pessoal vem quando transcendemos a parte de nós que não está bem e precisa de proteção. Fazemos isso constantemente ao relembrarmos que somos aquela presença dentro de nós que percebe o falatório mental. Essa é a saída. A presença interior que tem consciência de que estamos o tempo todo falando sozinhos sobre nós mesmos é sempre silenciosa. Ela é um portal para as profundezas do nosso ser. A consciência de que estamos observando a voz da mente falar é o limiar de uma fantástica viagem interior. Se for usada adequadamente, a mesma voz que é uma fonte de preocupação, distração e neurose pode se tornar a plataforma de lançamento para o verdadeiro despertar espiritual. Ao conhecer aquele que observa a voz interior, você vai conhecer um dos grandes mistérios da criação.

CAPÍTULO 2

Seu colega de quarto interior

Seu crescimento interior só depende de você perceber que a única maneira de encontrar paz e contentamento é parar de pensar sobre si mesmo. Você estará pronto para crescer quando finalmente perceber que o "eu" que fala o tempo todo dentro da sua mente nunca estará satisfeito. Ele sempre arruma problema com alguma coisa. Seja sincero: quando foi a última vez que nada o incomodava? Antes do problema da vez havia um problema diferente. E, se você for sensato, vai perceber que, quando este estiver resolvido, outro aparecerá.

A conclusão é que você nunca vai se libertar dos problemas se não se libertar antes daquela parte dentro de si que tem todos esses problemas. Quando um problema o perturbar, não pergunte: "O que devo fazer para resolver isso?" Pergunte: "Qual parte de mim está sendo perturbada por isso?" Ao questionar como resolver a questão, você já caiu na crença de que há realmente um problema exterior que precisa ser resolvido. Se quiser alcançar a paz diante dos contratempos da vida, será preciso entender por que uma situação específica é percebida como um problema. Quando sentir ciúme, em vez de tentar descobrir como se proteger, apenas pergunte a si mesmo: "Qual parte de mim está enciumada?" Isso vai levá-lo a olhar para dentro e perceber que, de fato, uma parte sua está com ciúme.

Depois de ver claramente a parte de você que está inquieta, pergunte-se: "Quem está vendo isso? Quem está percebendo essa inquietação interior?" Essa é a solução para todos os seus problemas. O próprio fato de ser capaz de ver o incômodo já significa que você não é ele. Para que algo seja visto, é necessário que haja uma relação entre sujeito e objeto. O sujeito é "a testemunha" porque é aquele que vê o que está acontecendo. O objeto é a coisa vista – nesse caso, a inquietação interior. Essa atitude de manter uma consciência objetiva do problema interior é sempre melhor do que se perder na situação externa. Essencialmente, é isso que distingue uma pessoa mais espiritualizada de uma mais materialista. Ser materialista não significa ter dinheiro ou status, mas pensar que a solução dos seus problemas interiores está no mundo exterior e que, se mudar algumas coisas no lado de fora, você ficará bem. Porém ninguém jamais se sentiu verdadeiramente bem ao mudar as condições externas. Sempre haverá o problema seguinte. A única solução real é ocupar o lugar da consciência testemunha e mudar os seus pontos de referência.

Para alcançar a verdadeira liberdade interior, é preciso ser capaz de observar objetivamente os problemas em vez de se perder neles. Nenhuma solução pode aparecer enquanto você estiver perdido na energia de um problema. Todo mundo sabe que não dá para lidar bem com uma situação quando estamos ansiosos, apavorados ou zangados. O primeiro problema a enfrentar, portanto, é nossa própria reação. Você só é capaz de resolver uma situação externa depois de admitir como ela o afeta por dentro. Em geral, os problemas não são o que parecem. Quando tiver clareza suficiente, você vai perceber que a real questão é que existe uma parte sua que vai ver dificuldade em praticamente tudo. O primeiro passo é lidar com ela. Isso envolve passar da "consciência da solução exterior" para a "consciência da solução interior". É preciso romper o hábito de achar que a solução dos seus problemas é reorganizar as coisas no lado de fora. A única solução permanente é olhar para dentro e se livrar dessa parte sua que parece ter tantas questões com a realidade. Depois disso, você saberá como lidar com o resto.

Isso talvez pareça impossível, mas não é. Uma parte do seu ser pode mesmo se abstrair do seu próprio dramalhão. Você pode observar a si mesmo ficando com ciúme ou com raiva. Não é necessário pensar sobre essas emoções nem analisá-las; pode apenas ter consciência delas. Quem vê tudo isso? Quem percebe as mudanças que acontecem dentro de você? Quando diz a um amigo "Toda vez que falo com Tom, fico muito aborrecido", como você sabe que fica tão aborrecido? Você sabe porque está presente e vê o que está acontecendo. Há uma separação entre você e a raiva ou o ciúme. Você é quem percebe essas coisas. Quando ocupa esse lugar da consciência, você pode se livrar dessas perturbações. Comece observando. Apenas esteja ciente de que tem consciência do que está acontecendo. É fácil. E então você vai se dar conta de que está observando a personalidade de um ser humano com todos os seus pontos fortes e fracos. É como se houvesse alguém ali dentro com você – como um "colega de quarto".

Se quiser conhecer seu colega de quarto, tente olhar para dentro de si por algum tempo, em silêncio e solidão completos. Você tem esse direito, pois esse é o seu território interior. Em vez de encontrar o silêncio, você vai escutar um falatório incessante:

"Por que estou fazendo isto? Tenho coisas mais importantes a fazer. Isto é uma perda de tempo. Não há ninguém aqui, só eu. Qual é o sentido de tudo isto?"

Seu colega de quarto está bem aí. Você pode ter a clara intenção de ficar em silêncio interior, mas seu colega de quarto não vai cooperar. E isso não acontece só quando você tenta ficar em silêncio. Ele tem algo a dizer sobre tudo que você vê. "Gosto disso. Não gosto disso. Isso é bom. Isso é ruim." Ele fala sem parar. Em geral, você não nota sua presença porque não se afasta dele; está tão perto que não percebe que, na verdade, está hipnotizado, escutando.

Basicamente, você não está sozinho aí dentro. Há dois aspectos distintos em seu ser interior. O primeiro é você, a consciência, a testemunha, o centro de suas intenções voluntárias; o outro é aquele que você observa. O problema é que ele nunca se cala. Se pudesse se livrar dessa parte sua, mesmo que por um momento, a paz e a serenidade seriam as melhores férias que você já teve.

Imagine como seria se você não tivesse que carregar essa parte de si para todo lugar. O verdadeiro crescimento espiritual tem a ver com sair dessa situação. Mas antes você tem que entender que sempre esteve trancado com um maníaco. Em qualquer circunstância, seu colega de quarto pode decidir de repente: "Não quero estar aqui. Não quero fazer isso. Não quero falar com essa pessoa." Imediatamente, você fica tenso e desconfortável. Sem aviso prévio, seu colega de quarto pode arruinar qualquer coisa. E, em geral, é isso mesmo que ele faz.

Você compra um carro lindo, novinho em folha. Mas, toda vez que o dirige, seu colega de quarto interior encontra algo de errado nele. A voz mental não para de apontar cada rangido, cada vibraçãozinha, até que, finalmente, você já não gosta mais do carro. Quando compreender o que isso pode fazer com a sua vida, você estará pronto para o crescimento espiritual, para a real transformação. "Olhe só essa coisa. Está acabando com a minha vida. Estou tentando levar uma existência pacífica e significativa, mas parece que estou sentado em cima de um vulcão. A qualquer momento seu colega de quarto pode surtar, se fechar e arrumar briga com o que está acontecendo. Hoje ele gosta de alguém; no dia seguinte, decide implicar com tudo que essa pessoa faz. Minha vida está uma bagunça, porque esse que mora aqui dentro comigo cria um dramalhão por qualquer coisa." Ao entender isso e aprender a não se identificar mais com o seu colega de quarto, você estará pronto para se libertar.

Se ainda não alcançou essa consciência, é só começar a observar. Passe um dia prestando atenção em tudo que seu colega de quarto fizer. Comece pela manhã e veja se consegue perceber o que ele está dizendo em cada situação. Toda vez que encontrar alguém, toda vez que o telefone tocar, tente apenas observar. Um bom momento para vê-lo falar é durante o banho. Fique atento ao que essa voz tem a lhe dizer. Você vai ver que ela nunca o deixa tomar um banho em paz. Você toma banho para lavar o corpo, não para ficar ouvindo a mente falar sem parar. Veja se consegue manter a atenção ao longo de toda a experiência para ter consciência do que está acontecendo. Você ficará chocado com o que vai descobrir. Ela simplesmente pula de um assunto a outro. É provável que o falatório incessante pareça tão neurótico que você não vai acreditar que é sempre assim. Mas é.

Você precisa observar seu colega de quarto se quiser ficar livre dele. Não é necessário fazer mais nada além de perceber as artimanhas da situação difícil em que está e entender que, de algum modo, acabou criando esse companheiro interior caótico. Se quiser estar em paz aí dentro, vai ter que dar um jeito nisso.

O modo de flagrar seu colega de quarto interior e descobrir como ele é de verdade é personificá-lo externamente. Finja que ele, a sua psique, tem um corpo próprio. Faça isso pegando todos os aspectos dessa personalidade que você ouve falar aí dentro e imaginando-a como alguém que está dizendo a você, no lado de fora, tudo o que sua voz interior diria. Agora, passe um dia com essa pessoa.

Você acabou de se sentar para assistir a seu programa de TV favorito. O problema é que não está sozinho. Agora você vai ter que ouvir o mesmo monólogo incessante que antes havia aí dentro, só que a pessoa está falando sozinha sentada a seu lado no sofá.

"*Você apagou a luz do andar de baixo? É melhor ir conferir. Agora não, farei isso depois. Quero acabar de assistir ao programa. Não, vá agora. É por isso que a conta de luz está tão alta.*"

Você fica ali, em silêncio, observando tudo isso. Então, alguns segundos depois, seu colega de sofá se envolve em outro conflito.

"*Estou com vontade de arranjar alguma coisa para comer! Estou louco por uma pizza. Não, não dá para comer pizza a esta hora. A pizzaria ainda não abriu. Mas estou com fome. Quando é que eu vou poder comer?*"

Para seu assombro, essas explosões neuróticas de diálogo conflitante não param. E, como se não bastasse, em vez de simplesmente assistir à TV, essa pessoa começa a reagir verbalmente a tudo que aparece na tela. A certa altura, quando uma mulher ruiva aparece no programa, seu colega de sofá começa a resmungar sobre uma ex-esposa e um divórcio doloroso. Aí vêm os gritos – como se a tal ex-esposa estivesse na sala com vocês! E tudo para tão de repente quanto começou. Nesse momento, você nota que está encolhido no canto oposto do sofá, na tentativa desesperada de ficar o mais longe possível dessa pessoa perturbada.

Você ousaria fazer esse experimento? Não tente fazer a pessoa parar de falar. Somente procure conhecer essa personalidade com que você convive dentro de si externalizando a voz. Dê-lhe um corpo e a coloque do lado de fora, como todo mundo. Deixe que diga exatamente o que a voz da mente diz. Agora transforme-a no seu melhor amigo. Afinal de contas, com quantas pessoas você passa todo o seu tempo, prestando atenção absoluta a cada palavra que dizem?

Como se sentiria se alguém no lado de fora começasse a falar com você do mesmo jeito que a sua voz interior? Como você se relacionaria com essa pessoa? Depois de pouquíssimo tempo, você a mandaria embora para nunca mais voltar. Mas quando seu amigo interior fala sem parar, você nunca faz isso. Não importa quanta confusão ele cause, você escuta. Não há quase nada que essa voz diga que não receba toda a sua atenção. Ela o tira de tudo o que esteja fazendo, por mais agradável que seja, e de repente você está prestando atenção no que ela tem a dizer. Imagine que você esteja no caminho para a sua cerimônia de casamento, e ela lhe diz:

"*Talvez essa não seja a pessoa certa. Estou ficando nervoso com isso. O que devo fazer?*"

Se alguém de fora dissesse isso, você ignoraria; no entanto, acha que deve uma resposta à voz. Você precisa convencer sua mente nervosa de que essa é a pessoa certa senão ela não vai deixá-lo chegar ao altar. Isso demonstra o nível de respeito que você tem por essa coisa neurótica aí dentro, pois sabe que, se não lhe der ouvidos, ela vai importuná-lo pelo resto da sua vida.

"*Eu lhe disse para não se casar. Eu lhe disse que não tinha certeza!*"

A conclusão é inegável: se, de algum modo, essa voz pudesse se manifestar num corpo aqui fora e você tivesse de levá-la a todos os lugares, isso não duraria um dia. Se alguém lhe perguntasse sobre seu novo amigo, você diria: "É uma pessoa seriamente perturbada. Procure neurose no dicionário e você entenderá."

Sendo assim, depois de passar um dia inteiro com seu amigo, qual seria a probabilidade de lhe pedir conselhos? Depois de ver com que frequência ele muda de ideia, como qualquer assunto se torna um conflito e como tende a reações emocionais exageradas, você lhe pediria conselhos sobre finanças ou relacionamentos? Por mais espantoso que pareça, é exatamente isso que você faz a todo momento na vida. Depois de reocupar seu lugar legítimo dentro de você, seu "amigo" ainda é o mesmo que lhe diz o que fazer em todos os aspectos da vida. Já se deu o trabalho de conferir suas credenciais? Quantas vezes essa voz estava redondamente enganada?

> *"Ela não gosta mais de você. Foi por isso que não telefonou. Ela vai terminar com você hoje mesmo. Dá para sentir; eu simplesmente sei. Você não deveria nem atender o telefone se ela ligar."*

Depois de meia hora disso, o telefone toca e é sua namorada. Ela se atrasou porque é o aniversário de um ano de namoro e ela estava preparando um jantar surpresa. E foi mesmo uma grande surpresa, já que você tinha esquecido completamente a data. Ela diz que está a caminho para buscá-lo. Bem, agora você está todo empolgado e sua voz interior lhe diz como ela é ótima. Mas você não se esqueceu de alguma coisa? E aquele mau conselho que o fez sofrer durante a última meia hora?

E se um terapeuta de casais lhe desse aquele conselho terrível? Ele teria entendido errado a situação toda e você não teria atendido o telefone. Como poderia confiar nos conselhos dele outra vez depois de ver como ele errou? Simplesmente o demitiria. Mas como você poderia demitir seu colega de quarto interior? Afinal de contas, o conselho dele e sua análise da situação estavam completamente errados. Porém você nunca o responsabiliza pelos problemas que causa. Na verdade, quando ele voltar a lhe dar conselhos, você será todo ouvidos. Isso lhe parece razoável? Quantas vezes a voz se enganou sobre o que estava acontecendo ou viria a acontecer? Talvez valha a pena prestar atenção a quem você anda pedindo conselhos.

Depois de experimentar essas práticas de auto-observação e consciência, você vai perceber que está numa encrenca, que teve apenas um problema a vida toda e está olhando para ele. A voz é praticamente a causa de todos os problemas que você já teve. Agora a pergunta é: como se livrar desse criador de caso interior? A primeira coisa que você vai notar é que não há como se livrar dele, a menos que queira de verdade. Até ter observado seu colega de quarto por tempo suficiente para realmente entender a situação difícil em que está metido, você não terá nenhuma base real para desenvolver as práticas que ajudam a lidar com a mente. Depois de tomar a decisão de se livrar do dramalhão mental, você estará pronto para ensinamentos e técnicas. Só então encontrará serventia para eles.

Você ficará aliviado ao saber que não é o primeiro a ter esse problema. Muitos já passaram por isso e buscaram orientação de pessoas que dominaram esse campo do conhecimento. Eles aprenderam técnicas e ensinamentos para ajudar nesse processo, como o yoga, que, apesar de deixar o seu corpo saudável, não tem esse objetivo. Yoga é o conhecimento que vai ajudá-lo a sair dessa situação difícil, o conhecimento que pode libertá-lo. Há várias práticas espirituais que podem ajudá-lo uma vez que você tenha estabelecido essa liberdade como a meta da sua vida. Elas são o que você faz com o seu tempo para se libertar de si mesmo. Mais cedo ou mais tarde, você vai acabar entendendo que precisa se distanciar de sua psique, e isso se faz determinando a direção da sua vida com clareza, sem deixar a mente vacilante detê-lo. Sua vontade é mais forte do que o hábito de dar ouvidos a essa voz. Não há nada que você não seja capaz de fazer. Sua vontade é suprema.

Se quiser se libertar, primeiro você precisa tomar consciência da situação difícil em que se encontra. Depois, tem que se comprometer com o trabalho interior pela liberdade. E fazer isso como se a sua vida dependesse disso – porque depende. Do jeito que está agora, sua vida não é sua; ela pertence a seu colega de quarto interior, a psique. Você precisa recuperá-la. Fique firme no lugar de testemunha e afrouxe o domínio que os hábitos da mente têm sobre você. Esta vida é sua – tome-a de volta.

CAPÍTULO 3

Quem é você?

Ramana Maharshi (1879-1950), um grande mestre da tradição do yoga, dizia que, para alcançar a liberdade interior, é preciso se perguntar contínua e sinceramente: "Quem sou eu?" Ele ensinava que isso era mais importante do que ler livros, aprender mantras ou visitar lugares sagrados. Basta perguntar: "Quem sou eu? Quem vê quando eu vejo? Quem ouve quando eu ouço? Quem sabe que eu sou consciente? Quem sou eu?"

Vamos examinar essa questão por meio de um jogo. Finja que eu e você estamos conversando. Normalmente, nas culturas ocidentais, quando alguém lhe pergunta "Com licença, quem é você?", você não briga com a pessoa por ter feito uma pergunta tão profunda. Você lhe diz seu nome; por exemplo, Sally Smith. Mas vou questionar essa resposta pegando um pedaço de papel e escrevendo as letras S, A, L, L, Y, S, M, I, T e H para lhe mostrar. Isso é quem você é? Uma coleção de letras? É essa coleção de letras quem vê quando você vê? É óbvio que não, então você diz:

"Certo, tem razão, desculpe. Não sou Sally Smith. Esse é só um nome pelo qual me chamam. É um rótulo. Na verdade, sou a esposa de Frank Smith."

Nem pensar! Hoje em dia isso nem é politicamente correto. Como você poderia ser a esposa de Frank Smith? Está dizendo que você não existia antes de conhecer Frank e que deixaria de existir se ele morresse ou vocês se separassem? A esposa de Frank Smith não pode ser quem você é. Esse é mais um rótulo, o resultado de alguma situação da qual você participou. Mas então quem é você? Dessa vez, você responde:

"Tudo bem, agora você chamou a minha atenção. Meu rótulo é Sally Smith. Nasci em 1965, em Nova York. Morei no Queens com meus pais, Harry e Mary Jones, até os 5 anos. Então nos mudamos para Nova Jersey, onde frequentei a Escola Elementar de Newark. Só tirava 10 na escola e no quinto ano fiz o papel de Dorothy em O mágico de Oz. *Comecei a namorar no nono ano, e meu primeiro namorado se chamava Joe. Fui para a faculdade, Rutgers College, onde conheci Frank Smith e me casei com ele. Essa é quem eu sou."*

Espere um instante. É uma história fascinante, mas não lhe perguntei o que aconteceu desde que você nasceu. Eu lhe perguntei: "Quem é você?" Você descreveu várias experiências, mas quem teve essas experiências? Você não continuaria aí, consciente da sua existência, mesmo que tivesse estudado em outra faculdade?

Então você pensa sobre isso e percebe que nunca na vida se fez essa pergunta a sério. Quem sou eu? Era o que Ramana Maharshi perguntava. Então você pondera com mais seriedade e diz:

"Certo. Então sou o corpo que ocupa este espaço. Tenho 1,65 m, peso 61 kg e aqui estou."

Quando você fez a Dorothy na peça do quinto ano, você tinha 1,35 m, não 1,65 m. E então? Qual delas é você? Você é a pessoa de 1,35 m ou a de 1,65 m? Não foi você quem fez a Dorothy? Você me disse que sim. Não foi você quem teve a experiência de representar Dorothy na peça do quinto ano e agora está tendo a experiência de tentar responder à minha pergunta? Não é a mesma você?

Talvez precisemos recuar por um momento para fazer algumas perguntas antes de voltar à questão principal. Quando tinha 10 anos, você olhava no espelho e via um corpo de 10 anos, certo? Não era a mesma que agora vê um corpo adulto? O que você via mudou, mas e você, que está olhando? Não há uma continuidade aí? Não foi o mesmo ser que olhou no espelho ao longo dos anos? Pense nisso com muito cuidado. Aqui está outra pergunta: quando dorme à noite, você sonha? Quem sonha? O que significa sonhar? Você responde: "Bem, é como um filme passando na minha mente, que eu assisto." Quem assiste? "Eu!" A mesma você que se olha no espelho? Você, que está lendo estas palavras, é a mesma que se olha no espelho e assiste aos sonhos? Ao acordar, você sabe que viu o sonho. Há uma continuidade da consciência do ser. Ramana Maharshi estava apenas fazendo algumas perguntas muito simples: quem vê quando você vê? Quem ouve quando você ouve? Quem assiste aos sonhos? Quem olha a imagem no espelho? Quem está vivendo todas essas experiências? Se você tentar encontrar uma resposta sincera, intuitiva, simplesmente dirá: "Eu. Sou eu. Eu estou aqui vivenciando tudo isso." Essa é a melhor resposta que vai achar.

Na verdade, é muito fácil ver que você não é os objetos que olha. É um exemplo clássico da relação sujeito-objeto. Você, o sujeito, é quem olha os objetos. Assim, não temos que examinar cada objeto do universo para dizer que ele não é você. Podemos generalizar e dizer que, se está olhando alguma coisa, então você não é essa coisa. Assim, na mesma hora, de uma tacada só, você já fica sabendo o que não é: o mundo exterior. Você é quem está aí dentro olhando o mundo.

Essa foi fácil. Pelo menos agora eliminamos as incontáveis coisas no lado de fora. Mas quem é você? E onde está você, se não é no lado de fora, com todas as outras coisas? Você só precisa prestar atenção e se dar conta de que ainda estaria aí dentro, experimentando sentimentos, mesmo que todos os objetos exteriores sumissem. Imagine o medo que sentiria. A frustração, talvez até raiva. Mas quem estaria sentindo essas coisas? Mais uma vez, você diz: "Eu!" E essa é a resposta certa. O mesmo "eu" que experimenta o mundo exterior vivencia as emoções interiores.

Para examinar essa questão com maior clareza, imagine que você está olhando um cão brincar ao ar livre. De repente, ouve um ruído bem atrás de você – um sibilar, como o de uma cascavel! Você continuaria olhando o cão com a mesma concentração? É claro que não. Começaria a sentir muito medo por dentro. Embora o cachorro ainda esteja brincando à sua frente, você ficaria completamente preocupada com a experiência do medo. Toda a sua atenção pode rapidamente ser dominada pelas suas emoções. Mas quem sente o medo? Não é o mesmo eu que estava observando o cão? Quem sente amor quando você sente amor? É provável que você alguma vez já tenha sentido tanto amor que pareceu difícil manter os olhos abertos. Você pode ficar tão absorta em belos sentimentos interiores ou em medos terríveis que se torna difícil se concentrar nos objetos exteriores. Em essência, objetos interiores e exteriores estão o tempo todo competindo pela sua atenção. Você está aí dentro, vivendo todas essas experiências – mas quem é você?

Responda a esta outra pergunta: não existem ocasiões em que você não está vivenciando experiências emocionais e fica apenas quieta, em silêncio por dentro? Você ainda está aí, mas está simplesmente consciente do silêncio tranquilo. Mais cedo ou mais tarde, vai perceber que o mundo exterior e o fluxo de emoções interiores vêm e vão. Mas você, aquela que experimenta todas essas coisas, permanece consciente do que passa.

Mas onde você está? Talvez possamos encontrá-la nos seus pensamentos. O grande filósofo René Descartes disse: "Penso, logo existo." Mas será que é isso mesmo o que acontece? Uma das definições do verbo "pensar" é: "formar pensamentos, usar a mente para ponderar ideias e fazer avaliações". A pergunta é: quem está usando a mente para formar pensamentos e depois manipulá-los e transformá-los em ideias e avaliações? Essa que vivencia os pensamentos existe mesmo que não haja pensamentos? Felizmente, você não tem de pensar sobre isso. Você tem consciência da presença do seu ser, da sua existência, sem a ajuda de pensamentos. Quando entra em meditação profunda, por exemplo, os pensamentos param. Você sabe que eles pararam. Você não "pensa" que eles pararam; apenas tem consciência: "sem pensamentos". Você então sai do estado meditativo e diz: "Uau, que meditação profunda! Pela primeira vez meus pensamentos pararam completamente. Eu estava num lugar de completa paz, harmonia e silêncio." Se você está aí dentro experimentando a paz que surge quando os pensamentos param, então obviamente a sua existência não depende do ato de pensar.

Os pensamentos podem tanto parar quanto ficar extremamente ruidosos. Às vezes você tem muitos pensamentos, outras vezes, poucos. Você pode até dizer a alguém: "Minha mente está me enlouquecendo. Desde que ele me disse aquelas coisas, não consigo nem dormir. Minha mente simplesmente não cala a boca." A mente de quem? Quem está percebendo esses pensamentos? Não é você? Não é você que ouve os seus pensamentos aí dentro, que está consciente da própria existência? De fato, você inclusive consegue se livrar deles. Quando começa a ter um pensamento de que não gosta, não tenta mandá-lo embora? As pessoas lutam com os pensamentos o tempo todo. Quem tem consciência dos pensamentos? Quem luta com eles? De novo: você tem uma relação sujeito-objeto com seus pensamentos. Você é o sujeito e os pensamentos são apenas mais um objeto do qual você pode ter consciência. Você não é os seus pensamentos. Você simplesmente tem consciência deles. Finalmente, você diz:

> "Tudo bem, não sou nada do mundo exterior nem sou as emoções. Esses objetos exteriores e interiores vêm e vão, e eu os experimento. Além disso, não sou meus pensamentos. Eles podem ser silenciosos ou barulhentos, felizes ou tristes. Os pensamentos são apenas mais uma coisa da qual tenho consciência. Mas quem sou eu?"

A questão começa a ficar séria: "Quem sou eu? Quem está vivenciando todas essas experiências físicas, emocionais e mentais?" Então você pondera essa pergunta com um pouco mais de profundidade. Para isso, vai deixando as experiências de lado para ver o que resta. Você começará a notar quem está vivenciando cada experiência até que alcançará o ponto, dentro de si, em que se dará conta de que você, o vivenciador, tem uma certa característica. E essa característica é a consciência, a percepção de si, uma noção intuitiva da própria existência. Você sabe que está aí dentro. Não tem que pensar sobre isso – apenas sabe. Se quiser, até pode pensar sobre o assunto, mas saberá que está pensando. Você existe de qualquer modo, com ou sem pensamentos.

Para ilustrar essa ideia em termos mais práticos, vamos tentar um experimento de consciência. Observe que, com uma simples olhada num cômodo ou pela janela, você instantaneamente vê todos os detalhes de tudo o que está à sua frente. Sem esforço, você tem consciência de todos os objetos que estão ao alcance da visão, tanto os próximos quanto os distantes. Sem mover a cabeça nem os olhos, de imediato você percebe todos os detalhes complexos do que está vendo. Veja todas as cores, as variações de luz, os veios da madeira dos móveis, a arquitetura dos edifícios e as variações da casca e das folhas das árvores. Perceba que é capaz de assimilar tudo ao mesmo tempo, sem precisar pensar. Nenhum pensamento é necessário; você simplesmente vê. Agora tente usar os pensamentos para isolar, rotular e descrever todos os detalhes complexos do que está diante da sua vista. Quanto tempo a sua voz mental levaria para lhe descrever todos esses detalhes, em contraposição com a fotografia instantânea da consciência que apenas vê? Quando olha sem criar pensamentos, a sua consciência percebe sem esforço e compreende inteiramente tudo o que vê.

Consciência é a palavra mais elevada que você pronunciará. Não há nada mais profundo do que a consciência. É a pura percepção. Mas o que isso quer dizer? Tentemos outro experimento. Digamos que você esteja num cômodo olhando um grupo de pessoas e um piano. Agora finja que o piano deixa de existir. Isso seria um problema muito grande? Você diz: "Não, acho que não. Não sou muito apegada a pianos." Tudo bem. Então finja que as pessoas da sala deixam de existir. Você ainda está bem? Consegue lidar com essa situação? Você diz: "Claro, gosto de ficar sozinha." Agora finja que sua consciência não existe. Simplesmente desligue-a. Como você se sente?

Como seria se sua consciência não existisse? Na verdade, é bastante simples: você não estaria aí. Não haveria noção de "eu". Não haveria ninguém aí para dizer: "Uau, eu estava aqui, mas agora não estou mais." Não existiria mais percepção do ser. E sem percepção do ser, sem consciência, não há nada. Existem objetos? Quem sabe? Se ninguém tem consciência dos objetos, sua existência ou inexistência se torna completamente irrelevante. Não importa quantas coisas estão à sua frente; se você desligar a consciência, não haverá nada. No entanto, se estiver consciente e não houver nada à sua frente, você vai ter plena consciência de que não há nada. Na verdade, não é algo tão complicado assim e é muito esclarecedor.

Então, se eu lhe perguntar agora "Quem é você?", você responderá:

"Sou aquele que vê. Em algum lugar aqui de dentro, olho para fora e tenho consciência dos acontecimentos, dos pensamentos e das emoções que passam diante de mim."

Se você for bem fundo, é aí que você vive. Você vive no lugar da consciência. Um verdadeiro ser espiritual mora aí, sem esforço e sem intenção. Assim como olha para fora sem esforço e vê tudo o que vê, mais cedo ou mais tarde você vai ocupar um lugar suficientemente interior e ver todos os seus pensamentos e emoções como vê as formas exteriores. Todos esses objetos estão diante de você. Os pensamentos estão mais perto, as emoções, um pouco mais longe, as formas, no lado de fora. Por trás de tudo isso, aí está você. É possível ir tão fundo que você vai perceber que é aí que sempre esteve. A cada estágio da vida, você viu diferentes pensamentos, emoções e objetos passarem à sua frente. Mas você sempre foi o receptor consciente de tudo o que havia.

Agora você está no centro da consciência. Está por atrás de tudo, apenas observando. Esse é o seu verdadeiro lar. Tire tudo o mais e você ainda estará aí, consciente de que tudo se foi. Mas tire o centro da consciência e não restará nada. Esse é o lugar do Eu. Dessa posição, você tem consciência de que há pensamentos, emoções e um mundo entrando pelos sentidos. Mas agora você tem consciência de que é consciente. Esse é o lugar do Eu budista, do Atman hinduísta e da alma judaico-cristã. O grande mistério começa quando você ocupa esse lugar interior e profundo.

CAPÍTULO 4

O Eu lúcido

Há um tipo de sonho chamado sonho lúcido em que você sabe que está sonhando. Se você voa no sonho, sabe que está voando. Você pensa: "Veja só! Estou sonhando que estou voando. Vou voar para lá." De fato, você tem consciência suficiente para saber que está voando no sonho e que está sonhando, o que é bem diferente dos sonhos comuns, nos quais você fica totalmente imerso. Essa distinção é exatamente a mesma diferença entre ter consciência de que está consciente na vida cotidiana e não ter essa consciência. Quando é um ser consciente, você não fica mais completamente imerso nos acontecimentos ao seu redor. Em vez disso, permanece internamente consciente de que você é quem vivencia tanto esses acontecimentos quanto os pensamentos e emoções correspondentes. Quando um pensamento é criado nesse estado de consciência, em vez de se perder nele, você permanece consciente de que é aquele que pensa o pensamento. Você está lúcido.

Isso suscita algumas perguntas bem interessantes. Se você é o ser interior que experimenta tudo isso, então por que existem esses diferentes níveis de percepção? Quando está assentado na consciência do Eu, você está lúcido. Mas onde está você quando não está profundamente assentado no Eu como o ser consciente que vivencia tudo o que você experimenta?

Para começo de conversa, a consciência tem a capacidade de fazer algo que se chama "foco", que é parte de sua natureza. A essência da consciência é a percepção, que, por sua vez, tem a capacidade de estar mais consciente de uma coisa que de outra. Em outras palavras, ela tem a capacidade de se concentrar em determinados objetos. O professor diz: "Concentre-se no que estou dizendo." O que isso significa? Significa: foque a sua consciência num mesmo lugar. Os professores imaginam que você já saiba fazer isso. Quem lhe ensinou a fazer isso? Que matéria na escola lhe ensinou a pegar a sua consciência e movê-la a algum lugar para se concentrar naquilo? Nenhuma, pois é algo intuitivo e natural. Você sempre soube fazer isso.

Então já sabemos que a consciência existe, só não costumamos falar dela. É provável que você tenha terminado o ensino fundamental, o ensino médio e a faculdade sem que ninguém tenha discutido a natureza da consciência. Felizmente, a natureza da consciência é estudada de perto em ensinamentos profundos como o yoga. Aliás, todos os ensinamentos antigos do yoga são sobre ela.

A melhor maneira de aprender sobre a consciência é pela experiência direta. Por exemplo, você sabe muito bem que, por um lado, a sua consciência pode perceber um vasto campo de objetos enquanto, por outro, pode se concentrar de tal maneira num mesmo objeto que se torna impossível perceber qualquer outra coisa. É o que acontece quando você se perde em pensamentos. Você está lendo e, de repente, não está mais. Acontece o tempo todo. Você simplesmente começa a pensar em outra coisa. Objetos exteriores e pensamentos podem capturar sua atenção a qualquer momento, mas a consciência é a mesma, quer esteja focada no lado de fora ou nos seus pensamentos.

O segredo é que a consciência tem a capacidade de se concentrar em coisas diferentes. O sujeito – a consciência – tem a capacidade de focar a percepção seletivamente em objetos específicos. Se você recuar, verá claramente que os objetos estão constantemente passando à sua frente em todos os três níveis – mental, emocional e físico. Quando você não está centrado, a sua consciência é invariavelmente atraída por um ou mais desses objetos e se foca neles. Caso se concentre o suficiente, sua noção de percepção se perde no objeto e não há mais a consciência de estar consciente do objeto; resta apenas a consciência do objeto. Você já notou que, quando está profundamente absorto assistindo à TV, não tem consciência de onde está sentado nem do que está acontecendo no recinto?

A analogia da TV é perfeita para vermos de que modo o centro da consciência sai da percepção do Eu e se perde nos objetos em que estamos focados. A diferença é que, em vez de sentado na sala, absorto na TV, você está absorto na paisagem mental, nas emoções e imagens exteriores. Quando se concentra no mundo dos sentidos físicos, ele o envolve. Em seguida suas reações mentais e emocionais o envolvem ainda mais. Nesse momento, você não está mais assentado no Eu, mas absorto no espetáculo interior a que está assistindo.

Vejamos esse espetáculo interior. Você tem um padrão subjacente de pensamentos que está presente o tempo todo. Ele é praticamente o mesmo sempre. Você o conhece tão bem que se sente tão à vontade com seu padrão normal de pensamentos quanto no espaço da sua casa. Há também as emoções que são a sua norma: uma certa quantidade de medo, uma certa quantidade de amor, uma certa quantidade de insegurança. E você sabe que, se determinadas coisas acontecerem, uma ou mais dessas emoções vão irromper e dominar a sua consciência. Depois elas vão enfim se acalmar e voltar à norma. Você conhece essa dinâmica tão bem que está sempre muito ocupado aí dentro assegurando que nada venha a criar essas perturbações. Na verdade, você está tão preocupado em controlar seu mundo de pensamentos, emoções e sensações físicas que nem sabe que está aí dentro. Esse é o estado normal para a maioria das pessoas.

Perdido nesse estado, você fica tão absorto nos objetos dos pensamentos, sentimentos e sentidos que se esquece do sujeito. Agora mesmo, você está assentado no centro da consciência assistindo a seu espetáculo particular. Mas há tantos objetos interessantes distraindo a sua consciência que você não consegue evitar se deixar envolver por eles. É esmagador. É tridimensional. Está à sua volta. Todos os seus sentidos o envolvem – visão, audição, paladar, olfato e tato –, além dos sentimentos e pensamentos. Porém, na verdade, você está assentado em silêncio aí dentro, observando todos esses objetos. Assim como o sol não sai de seu lugar no céu para iluminar objetos com sua luz radiante, a consciência não abandona seu centro para projetar a percepção nos objetos dos pensamentos, formas e emoções. Se quiser voltar ao centro, basta começar a dizer "olá" aí dentro, várias e várias vezes. Em seguida perceba que você tem consciência desse pensamento. Não pense em estar consciente dele; esse é apenas outro pensamento. Simplesmente relaxe e note que consegue ouvir o "olá" se repetindo dentro da mente. Esse é o lugar de sua consciência centrada.

Agora, passemos da telinha para a telona. Vamos examinar a consciência usando o exemplo de um filme. Quando vai ao cinema, você se deixa envolver. Isso faz parte da experiência. No cinema, você usa dois sentidos, visão e audição, e é importantíssimo que os dois estejam em sincronia. Você não ficaria tão envolvido com o filme se isso não acontecesse. Imagine que está assistindo a um filme de James Bond e que a trilha sonora não está em sincronia com as cenas. Em vez de ser envolvido pelo mundo mágico do filme, você permanecerá muito consciente de que está sentado num cinema e de que há algo errado. Mas, como normalmente as cenas e a trilha sonora estão em perfeita sincronia, o filme captura sua percepção e você esquece que está assistindo a um filme. Esquece seus pensamentos e emoções pessoais, e sua consciência é puxada para dentro do filme. Na verdade, é fascinante a diferença entre estar sentado ao lado de desconhecidos num cinema frio e escuro e estar tão absorto que você perde a consciência de tudo mais à sua volta. Com um filme envolvente, é possível passar duas horas inteiras sem nenhuma percepção de si. Assim, a sincronia entre imagem e som é importantíssima para que sua consciência seja absorvida pelo filme. E tudo isso usando apenas dois sentidos.

O que vai acontecer quando a experiência cinematográfica passar a incluir olfato e paladar? Imagine que você está assistindo a um filme em que alguém está comendo e você é capaz de sentir o sabor e o cheiro que o personagem sente. Sem dúvida, você seria envolvido por ele. Os dados sensoriais dobraram e, portanto, o número de objetos que atraem sua percepção também dobrou. Audição, visão, paladar, olfato, e ainda nem mencionamos o maior deles. Você iria a um cinema que incluísse o tato? Quando conseguirem colocar todos os cinco sentidos para funcionar juntos, você não terá nenhuma chance. Se todos estiverem em sincronia, você ficará completamente absorto na experiência. Porém, não necessariamente. Imagine que está no cinema e, mesmo com essa experiência sensorial avassaladora, fique entediado com o filme. Ele simplesmente não prende sua atenção e seus pensamentos começam a divagar. Você começa a pensar no que fará quando voltar para casa. Começa a pensar em algo que lhe aconteceu no passado. Dali a algum tempo, estará tão perdido em pensamentos que mal terá consciência de estar assistindo a um filme. Isso ocorre apesar de seus cinco sentidos ainda estarem lhe enviando todas aquelas mensagens e só pode acontecer porque seus pensamentos são independentes do filme. Eles oferecem um lugar alternativo para a consciência se concentrar.

Agora imagine que inventem filmes que, além de envolverem os cinco sentidos, também coloquem seus pensamentos e emoções em sincronia com o que acontece na tela. Nessa experiência cinematográfica, você ouve, vê, saboreia e, de repente, começa a sentir as emoções do personagem e pensar seus pensamentos. O personagem diz: "Estou tão nervoso... Será que devo pedi-la em casamento?", e de repente a insegurança toma conta de você. Agora temos toda a dimensão da experiência: cinco sentidos físicos, pensamentos e emoções. Imagine ir a esse cinema, mas tome cuidado: esse seria o fim do modo como você se conhece. Não haveria objeto da consciência que não estivesse sincronizado com a experiência. Qualquer lugar em que a sua percepção pousasse faria parte do filme. Quando o cinema tiver controle sobre os pensamentos, acabou. Não haverá "você" ali para dizer: "Não gosto deste filme. Quero ir embora." Isso exigiria um pensamento independente, mas seus pensamentos foram dominados pelo filme. Agora você está completamente perdido. Como sairá dessa?

Por mais assustador que pareça, essa é a sua difícil situação na vida. Como todos os objetos da percepção estão em sincronia, você é sugado por eles e não tem mais consciência de que está separado deles. Pensamentos e emoções se movem de acordo com as imagens e os sons. Tudo entra, e sua consciência fica totalmente absorta nisso. A menos que esteja plenamente assentado na consciência testemunha, você não estará mais por trás de tudo, consciente de que você é aquele que observa tudo isso. É isso que perder-se significa. A alma perdida é a consciência que caiu no local onde pensamentos, emoções e as percepções sensoriais de visão, audição, paladar, tato e olfato de um ser humano estão em sincronia. Todas essas mensagens se reúnem num único ponto. Então a consciência, que é capaz de perceber tudo, comete o erro de se concentrar nesse ponto com demasiada atenção. Quando é sugada desse jeito, ela não se reconhece mais como é. Ela passa a se reconhecer no objeto que está experimentando. Em outras palavras, você se identifica com esses objetos e pensa que é a soma das suas experiências.

Isso é o que você pensaria se fosse a um desses cinemas avançados. Primeiro você escolheria qual personagem quer ser. Digamos que decidisse: "Serei James Bond." Tudo bem, mas, assim que apertasse o botão, acabou. Você, como atualmente se conhece, não estaria mais lá. Como agora todos os seus pensamentos seriam os pensamentos de James Bond, todo o seu conceito de si teria sumido. Lembre-se: seu conceito de si é apenas sua coleção de pensamentos sobre você mesmo. Do mesmo modo, suas emoções seriam as de James Bond, e você assistiria ao filme a partir da posição visual e auditiva dele. O único aspecto de seu ser que permaneceria igual seria a consciência que percebe esses objetos, o mesmo centro de percepção que antes tinha consciência de seu antigo conjunto de pensamentos, emoções e informações sensoriais. Se em seguida alguém desligasse o filme, os pensamentos e emoções de James Bond seriam de imediato substituídos por sua antiga coleção de pensamentos e emoções. Você voltaria a pensar que é um médico de 40 anos. Todos os pensamentos combinariam. Todas as emoções combinariam. Tudo teria o mesmo gosto, a mesma aparência que tinha antes. Mas isso não mudaria o fato de que tudo é apenas algo que a consciência experimenta. Tudo são apenas objetos da consciência – e você é a consciência.

O que diferencia um ser centrado e consciente de uma pessoa que não é tão consciente assim é simplesmente o foco de sua percepção. Não há nenhuma diferença na consciência propriamente dita. Toda consciência é a mesma. Assim como toda luz do sol é a mesma, toda consciência é a mesma. A consciência não é pura nem impura; ela não tem características. Ela só está lá, consciente de que é consciente. A diferença é que, quando não está centrada, ela se concentra inteiramente em seus objetos. Porém, se você é um ser centrado, sua consciência sempre saberá que é consciente. A consciência do ser independe dos objetos interiores e exteriores dos quais você por acaso está consciente.

Se você quer mesmo entender essa diferença, precisa começar dando-se conta de que a consciência pode se focar em qualquer coisa. Sendo assim, e se ela se concentrasse em si mesma? Quanto isso acontece, em vez de ter consciência dos seus pensamentos, você fica consciente de ter consciência dos seus pensamentos. Você direciona a luz da consciência para si mesma. Estamos sempre contemplando alguma coisa, mas, dessa vez, você estará contemplando a fonte da consciência. Essa é a verdadeira meditação, que está além da simples concentração num ponto único. Para uma meditação mais profunda, além da capacidade de concentrar a consciência completamente num mesmo objeto, é preciso também tornar a própria consciência esse objeto. No estado mais elevado, o foco da consciência se volta para o Eu.

Quando contempla a natureza do Eu, você está meditando. É por isso que a meditação é o estado mais elevado, o retorno à raiz do seu ser, a simples consciência da consciência. Quando se torna consciente da consciência em si, você alcança um estado totalmente diferente e então tem consciência de quem é. Você se tornou um ser desperto. E isso é a coisa mais natural do mundo. Aqui estou eu. Aqui sempre estive. É como se você estivesse no sofá vendo TV, mas tão envolvido no programa que esqueceu onde estava. Então alguém o sacudiu e agora você voltou à percepção de que está sentado no sofá assistindo à TV. Nada mudou. Você simplesmente parou de projetar sua identidade naquele objeto específico da consciência. Despertou. Isso é espiritualidade. Essa é a natureza do Eu. Isso é quem você é.

Ao se assentar na consciência, o mundo deixa de ser um problema. Ele é só algo que você está observando e não para de mudar, mas não existe mais a sensação de que isso é um problema.

Quanto mais disposto você estiver a deixar o mundo ser apenas algo de que você tem consciência, mais isso lhe permitirá ser quem é – a consciência, o Eu, o Atman, a Alma. Você se dá conta de que não é quem pensava ser. Não é sequer um ser humano. Só aconteceu estar observando um. Você vai começar a ter experiências profundas no seu centro da consciência. Serão experiências profundas e intuitivas da verdadeira natureza do Eu. Você vai se descobrir tremendamente expansivo. Quando começa a explorar a consciência em vez da forma, você percebe que sua consciência só parece ser pequena e limitada porque você está se concentrando em objetos pequenos e limitados. É exatamente o que acontece quando está focado unicamente na TV: não há mais nada no mundo. No entanto, se recuar, verá o cômodo inteiro, inclusive a TV. Do mesmo modo, em vez de se concentrar intensamente apenas nos pensamentos, nas emoções e no mundo sensorial deste único ser humano, você pode recuar e ver tudo. Pode passar do finito ao infinito. Não é isso que Cristo, Buda e os grandes santos e sábios de todos os tempos e todas as religiões vêm tentando nos dizer?

Ramana Maharshi, um desses grandes santos, costumava perguntar: "Quem sou eu?" Agora vemos que essa pergunta é muito profunda. Pergunte isso sem cessar, constantemente. Pergunte e você vai perceber que você é a resposta. Não há resposta intelectual – você é a resposta. Seja a resposta e tudo mudará.

PARTE II

A energia

CAPÍTULO 5

Energia infinita

A consciência é um dos grandes mistérios da vida. A energia interior é outro. É uma pena que o mundo ocidental volte tão pouca atenção às leis da energia interior. Estudamos a energia no lado de fora e damos grande valor aos recursos energéticos, mas ignoramos a energia interior. As pessoas levam a vida pensando, sentindo e agindo sem compreender o que torna essas atividades possíveis. A verdade é que cada movimento do corpo, cada emoção, cada pensamento que nos passa pela cabeça representa um gasto de energia. Assim como tudo o que acontece no mundo físico no lado de fora, tudo o que acontece aqui dentro exige um gasto de energia.

Por exemplo, se você se concentrar num pensamento e outro interferir, será preciso exercer uma força oposta para combater o pensamento invasor. Isso demanda energia e pode deixá-lo exausto. Do mesmo modo, quando tenta manter um pensamento na mente, mas ele não para de fugir, você tem que se concentrar para trazê-lo de volta. Quando faz isso, na verdade, você está mandando mais energia àquele pensamento para mantê-lo no lugar. Você também aplica energia para lidar com suas emoções. Se há uma emoção de que não gosta e ela interferir com o que estiver fazendo, você simplesmente tenta colocá-la de lado quase instintivamente, de modo que a emoção indesejada não venha perturbá-lo. Cada uma dessas ações pressupõe um gasto de energia.

Criar pensamentos, agarrar-se a eles, recordá-los, gerar emoções, controlá-las e disciplinar impulsos interiores poderosos, tudo isso exige um tremendo gasto de energia. De onde vem toda essa energia? Por que ela às vezes está lá e outras vezes você se sente completamente esgotado? Já percebeu que, diante de um esgotamento mental ou emocional, comer não ajuda muito? Por outro lado, se você relembrar os momentos da vida em que esteve apaixonado, entusiasmado ou inspirado por alguma coisa, vai notar que estava tão cheio de energia que nem queria comer. Essa energia de que estamos falando não provém das calorias da comida que seu organismo queima. Há uma fonte de energia interior de que você pode tirar proveito e que é distinta da fonte exterior.

A melhor maneira de examiná-la é através de um exemplo. Digamos que você tenha 20 e poucos anos e seu namorado ou namorada tenha terminado o namoro. Você está num estado tão deplorável que passa a só ficar em casa, na solidão. Logo, por não ter energia para arrumar a casa, o chão fica uma bagunça. Você mal consegue se levantar da cama e dorme o tempo todo. Deve ter comido, porque há caixas de pizza espalhadas por toda parte. Mas nada ajuda. Você não tem energia. Os amigos lhe fazem convites, mas você recusa. Há apenas um grande cansaço.

A maioria de nós já passou por isso em alguma altura da vida. Você sente que não tem como sair dessa e parece que vai ficar assim para sempre. Então, de repente, um dia o telefone toca. É seu namorado ou sua namorada. Isso mesmo, aquela pessoa que lhe deu o fora três meses atrás chora e diz: "Ah, meu Deus! Você se lembra de mim? Espero que ainda queira falar comigo. Estou me sentindo muito mal. Largar você foi o maior erro que já cometi. Agora vejo como você é importante para mim e não consigo viver sem você. O único amor verdadeiro que já tive na vida foi na época em que estávamos juntos. Você me perdoa? Consegue me perdoar? Posso ir até a sua casa?"

    E agora, o que você faz? Falando sério: quanto tempo leva para você ter energia suficiente para pular da cama, limpar o apartamento, tomar um banho e pôr alguma cor no rosto? É praticamente instantâneo. Você se enche de energia assim que desliga o telefone. Como isso acontece? Você estava num esgotamento completo. Durante meses não teve energia. Então, do nada, em questão de segundos, há tanta energia que você seria capaz de explodir.

    Não é possível ignorar essas mudanças enormes em nosso nível de energia. De onde veio toda essa energia? Não houve qualquer mudança súbita em seus hábitos alimentares nem em seu sono. Mas, quando a pessoa amada chega, vocês acabam conversando a noite inteira e vão ver o sol nascer pela manhã. Você não sente um pingo de cansaço. Estão juntos de novo, de mãos dadas, e esses surtos de alegria não param de inundar você. As pessoas notam a diferença e observam que você parece um feixe de luz. De onde veio essa energia toda?

    Se observar com atenção, você vai ver que tem uma quantidade fenomenal de energia aí dentro. Ela não vem da comida nem do sono e está sempre disponível. A qualquer momento você pode tirar proveito dela. Ela jorra e preenche você de dentro para fora. Quando se enche dessa energia, você sente que poderia lutar contra o mundo inteiro. Quando ela flui com vigor, é possível senti-la, em ondas, passando por você. Ela jorra espontaneamente lá do fundo, restaura, recupera e recarrega.

    A única razão para não sentir essa energia o tempo todo é que você a bloqueia, fechando o coração, fechando a mente, se colocando em um espaço interior restritivo e se isolando de toda a energia. Quando fecha o coração ou a mente, você se esconde na própria escuridão interior. Não há luz. Não há energia. Nada flui. A energia ainda está lá, mas não consegue entrar.

É isso que significa estar "bloqueado". É por isso que você não tem energia quando está muito triste. Existem centros que canalizam o seu fluxo de energia. Quando você os fecha, não há energia. Quando os abre, há. Embora existam vários deles dentro de você, o que conhecemos mais intuitivamente é o do coração. Digamos que você ame alguém e se sinta muito aberto em sua presença. Como confia nessa pessoa, suas defesas baixam e isso lhe permite sentir muita energia. Mas, se ela faz algo de que você não gosta, na próxima vez você não se sentirá tão elevado em sua companhia. Não sentirá tanto amor. Em vez disso, sentirá um aperto no peito. Isso acontece porque você fechou seu coração. O coração é um centro de energia que pode se abrir ou se fechar. Os iogues chamam os centros de energia de *chakras*. Quando você fecha o do coração, a energia não consegue fluir e há escuridão. Dependendo de quanto ele se fecha, você sente uma inquietação enorme ou uma letargia avassaladora. As pessoas em geral flutuam entre esses dois estados. Então, se você descobrir que a pessoa amada não fez nada de errado ou se ela se desculpar, seu coração volta a se abrir. Com essa abertura, você se enche de energia e o amor começa a fluir de novo.

Quantas vezes você passou por essa dinâmica na vida? Você tem dentro de si a fonte de uma linda energia. Quando ela se abre, você a sente; quando se fecha, não. Esse fluxo de energia vem das profundezas de seu ser e já recebeu muitos nomes. Na antiga medicina chinesa, chama-se *Chi*. No yoga, chama-se *Shakti*. No Ocidente, *Espírito*. Chame-a como quiser. Todas as grandes tradições espirituais falam da sua energia espiritual – apenas lhe dão nomes diferentes. É essa que você vivencia quando o amor inunda seu coração. É a que experimenta quando se entusiasma com alguma coisa e toda essa energia elevada cresce dentro de você.

Você deveria conhecer essa energia porque ela é sua. É seu direito de nascença e é ilimitada. É possível usar esse recurso sempre que quiser. Isso não tem nada a ver com idade. Há pessoas de 80 anos com a energia e o entusiasmo de uma criança. São capazes de trabalhar por longas horas, sete dias por semana. É somente energia, que não envelhece, não se cansa, não precisa de comida. Só precisa de abertura e receptividade. Ela está igualmente disponível para todos. O sol não brilha de forma diferente sobre pessoas diferentes. Se você for bondoso, ele brilha sobre você. Se fizer algo ruim, ele brilha sobre você. O mesmo acontece com a energia interior. A única diferença é que você tem a capacidade de se fechar e bloqueá-la. Quando faz isso, ela para de fluir. Quando se abre, ela jorra dentro de você. Os verdadeiros ensinamentos espirituais tratam dessa energia e de como abrir-se a ela.

A única coisa que você deve saber é que se abrir permite que a energia entre e se fechar a bloqueia. Agora você tem que decidir se quer ou não essa energia. Quão alto quer subir? Quanto amor quer sentir? Quanto entusiasmo quer ter pelas coisas que faz? Se ter uma vida plena significa energia elevada, amor e entusiasmo o tempo todo, então nunca se feche.

Há um método simples para se manter aberto: basta nunca se fechar. É mesmo simples assim. Você só precisa decidir se está disposto a se manter aberto ou se acha que vale mais a pena se fechar. Na verdade, você pode se treinar para esquecer como se fechar. Isso é um hábito que, como qualquer outro, pode ser abandonado. Por exemplo, você pode ser do tipo que tem um medo inerente de pessoas e tende a se fechar quando conhece alguém. Pode até frequentemente experimentar uma sensação de aperto sempre que alguém se aproxima. Você pode se treinar para fazer o contrário, para se abrir toda vez que encontrar uma pessoa. É apenas uma questão de querer se fechar ou querer se abrir. Em última instância, é algo que está sob o seu controle.

O problema é que não costumamos exercer esse controle. Em

circunstâncias normais, nosso estado fica à mercê de fatores psicológicos. Basicamente, somos programados para nos abrir ou nos fechar com base em nossas experiências passadas. As impressões do passado ainda estão dentro de nós e são despertadas por diversos acontecimentos. Se são impressões negativas, tendemos a nos fechar. Se são positivas, tendemos a nos abrir. Digamos que você sinta um determinado cheiro que o faz se lembrar de quando era criança e alguém estava preparando o jantar. Sua reação ao cheiro depende das impressões deixadas pela experiência. Você gostava de jantar com a família? A comida era boa? Nesse caso, o cheiro vai fazer com que você se empolgue e se abra. Se as refeições não eram muito divertidas ou se era obrigado a comer coisas de que não gostava, você vai se retesar e se fechar. É algo muito sensível. Um cheiro pode levar você a se fechar ou se abrir, assim como ver um carro de determinada cor ou até o tipo de sapato usado por alguém. Somos programados com base em impressões passadas, de modo que qualquer coisa pode nos abrir e nos fechar. Se prestar atenção, você pode ver como isso acontece regularmente no decorrer do dia.

Mas você nunca deveria deixar algo tão importante quanto seu fluxo de energia ao acaso. Se gosta dessa energia, e sei que sim, nunca se feche. Quanto mais aprender a ficar aberto, mais energia fluirá dentro de você. Treine o hábito de se abrir ao não se fechar. Toda vez que começar a se fechar, pergunte-se se deseja mesmo interromper o fluxo de energia. Porque, se você quiser, pode aprender a se manter aberto, aconteça o que acontecer neste mundo. Basta se comprometer a explorar sua capacidade de receber energia ilimitada. Basta decidir não se fechar. A princípio, parece artificial, já que a tendência inata é se fechar como uma forma de proteção. Mas, na verdade, fechar o coração não nos protege de nada e só nos isola de nossa fonte de energia. No fim das contas, isso só serve para trancá-lo dentro de si.

O que você vai descobrir é que a única coisa que realmente

quer na vida é sentir entusiasmo, alegria e amor. Se puder se sentir assim o tempo todo, que importância terá o que acontece no lado de fora? Se conseguir se sentir sempre para cima, sempre empolgado com a experiência do momento, não faz nenhuma diferença qual é essa experiência. Seja o que for, é lindo quando você se sente assim por dentro. E você aprende a ficar aberto, aconteça o que acontecer. Se conseguir isso, terá de graça o que todos lutam para conseguir: amor, entusiasmo, empolgação e energia. Você simplesmente percebe que, na verdade, ao definir o que é preciso para se manter aberto, acaba se limitando. Se fizer listas de como o mundo tem que ser para você se abrir, estará limitando sua abertura a essas condições. Mais vale ficar aberto não importa o que aconteça.

O modo como vai aprender a se manter aberto cabe a você escolher. O grande truque é não se fechar. Quem não se fecha aprende a se manter aberto. Não deixe que nada ganhe tanta importância que você resolva fechar seu coração por isso. Quando sentir que isso começa a acontecer, diga apenas: "Não, não vou me fechar. Vou relaxar. Vou deixar essa situação se desenrolar e me manter presente." Honre, respeite a situação e lide com ela. Do melhor jeito possível. Enfrente-a com abertura. Enfrente-a com empolgação e entusiasmo. Seja o que for, deixe que essa postura se torne a ordem do dia. Com o tempo, você vai descobrir que esqueceu como se fechar. Não importa o que os outros façam, não importa qual seja a situação, você não sentirá sequer a tendência a se fechar. Simplesmente acolherá a vida com toda a sua alma e todo o seu coração. Quando alcançar esse estado de elevação, seu nível de energia será fenomenal. Você terá toda a energia de que precisa em todos os momentos. Basta relaxar e se abrir – e um jorro enorme de energia fluirá aí dentro. Você só está limitado pela capacidade de se manter aberto.

Se quiser mesmo aprender a fazer isso, preste atenção quando sentir amor e entusiasmo. Em seguida se pergunte por que não consegue se sentir assim o tempo todo. Por que esses sentimentos precisam ir embora? A resposta é óbvia: eles só vão embora se você escolher se fechar. Quando se fecha, você, na verdade, escolhe não sentir abertura e amor. Você joga o amor fora o tempo todo. É capaz de senti-lo até alguém dizer algo de que você não gosta, para então abandoná-lo. Sente entusiasmo por seu trabalho até alguém criticar alguma coisa – e aí você quer logo pedir demissão. A escolha é sua. Você pode se fechar porque não gostou do que aconteceu ou continuar sentindo amor e entusiasmo e não se fechar. Enquanto continuar definindo o que gosta e o que não gosta, sempre vai oscilar entre se abrir e se fechar. Na verdade, ao fazer isso, você está definindo seus limites. Está permitindo que sua mente crie gatilhos. Livre-se disso. Ouse ser diferente. Aproveite a vida por inteiro.

Quanto mais aberto você estiver, mais o fluxo de energia poderá aumentar. A certa altura, poderá sentir tanta energia entrando em você que ela vai começar a fluir para fora. Você vai experimentá-la como ondas se derramando, vai senti-la fluindo de suas mãos, de seu coração e de outros centros de energia. Todos esses centros de energia se abrem, e uma enorme quantidade de energia começa a fluir de você. Ela afeta os outros, que podem captá-la, enquanto você pode nutri-los com seu fluxo. Se estiver disposto a se abrir ainda mais, isso nunca acabará e você vai se tornar uma fonte de luz para todos à sua volta.

Apenas continue se abrindo sem se fechar. Espere e veja o que acontece. Você pode inclusive criar um efeito sobre a saúde do seu corpo com seu fluxo de energia. Quando começar a sentir que uma doença se aproxima, apenas relaxe e se abra. Ao fazê-lo, você traz mais energia para o sistema e ele pode sarar. A energia pode curar, e é por isso que o amor também pode. Quando você explora sua energia interior, todo um mundo de descobertas se abre.

A coisa mais importante na vida é sua energia interior. Para quem está sempre cansado e nunca se empolga com nada, a vida não é divertida. Mas se você se sente sempre inspirado e cheio de energia, cada minuto de todos os dias é uma experiência emocionante. Aprenda a trabalhar com essas coisas. Com meditação, consciência e esforço obstinado, você pode aprender a manter seus centros abertos. Para isso, basta se soltar e relaxar, basta não aceitar a ideia de que vale a pena se fechar por algum motivo. Lembre-se: se você ama a vida, não há razão para se fechar. Por nada neste mundo vale a pena fechar seu coração.

CAPÍTULO 6

Os segredos do coração espiritual

Pouquíssimas pessoas entendem o coração. Na verdade, ele é uma das obras-primas da criação. É um instrumento fenomenal, que tem o potencial de criar vibrações e harmonias que vão muito além da beleza de pianos, cordas e flautas. Você é capaz de ouvir um instrumento, mas aquele que sente é o seu coração. Quando achamos que sentimos um instrumento, é só porque ele tocou nosso coração, um instrumento de energia extremamente sutil que poucos conseguem apreciar.

Na maioria dos seres humanos, o coração faz seu trabalho sem supervisão. Embora seu comportamento determine o curso de nossa vida, ele não é compreendido. Se, em qualquer dado momento, o coração se abre, nos apaixonamos. Se, em qualquer dado momento, o coração se fecha, o amor cessa. Se o coração dói, nos zangamos, e se paramos de senti-lo completamente, ficamos vazios. Todas essas coisas diferentes acontecem porque o coração passa por mudanças. Essas variações de energia que ocorrem nele dominam sua vida. Você está tão identificado com elas que usa as palavras "eu" e "mim" quando se refere ao que está acontecendo no seu coração. Porém, você não é o seu coração, mas aquele que o experimenta.

O coração, na verdade, é muito simples de entender. Ele é um centro de energia, um chakra – um dos mais belos e poderosos, que tem um grande efeito sobre nossa vida cotidiana. Esses centros de energia são áreas de nosso ser onde a energia se concentra e se distribui e por onde ela flui. Esse fluxo, que já foi chamado de *Shakti*, *Espírito* e *Chi*, desempenha um complexo papel na sua vida. Sentimos a energia do coração o tempo todo. Pense em como é sentir amor em seu coração, em como é sentir inspiração e entusiasmo se derramando dele. Pense em como é sentir a energia preenchendo seu coração, deixando-o forte e confiante. Tudo isso acontece porque ele é um centro de energia.

O coração controla o fluxo de energia abrindo-se e fechando-se. Isso significa que, como uma válvula, pode permitir ou restringir a sua passagem. Se costuma observar seu coração, você sabe muito bem qual é a sensação quando ele está aberto e quando está fechado. Na verdade, o estado do coração muda com bastante regularidade. Você pode experimentar grandes sentimentos de amor na presença de alguém até que essa pessoa diga algo de que você não gosta. Então o seu coração se fecha e você simplesmente não sente mais aquele amor. Todos já passamos por isso, mas qual é exatamente a causa disso? Como todos temos que experimentar o coração, é bom compreender o que acontece ali.

Vamos começar essa análise com uma pergunta fundamental: o que há na estrutura do centro de energia do coração que permite a ele se fechar? O que você vai descobrir é que o coração se fecha porque é bloqueado por padrões energéticos inacabados e armazenados do passado. Basta examinar suas experiências cotidianas para entender isso. À medida que se desenrolam, os acontecimentos entram através dos sentidos e causam algum impacto em nosso estado interior. A experiência desses eventos pode provocar medo, ansiedade ou talvez amor. Diferentes experiências ocorrem aí dentro, de acordo com o modo como você absorve e digere o mundo à medida que ele passa por você. Quando o absorve através dos sentidos, na verdade, é a energia que está entrando em seu ser. As formas não entram em nossa mente nem em nosso coração. As formas ficam no lado de fora, mas são processadas pelos sentidos em padrões energéticos que a mente e o coração podem receber e experimentar. A ciência nos explica esse processo sensorial. Os olhos não são janelas pelas quais olhamos o mundo; eles são câmeras que enviam imagens eletrônicas do mundo para dentro de você. Isso vale para todos os nossos sentidos. Eles sentem o mundo, convertem as informações, transmitem os dados na forma de impulsos elétricos nervosos, e então as impressões são construídas na mente. Nossos sentidos são de fato sensores eletrônicos. Mas, quando os padrões energéticos que entram na psique são uma fonte de inquietação, resistimos e não permitimos que eles passem por nós. Quando fazemos isso, eles ficam realmente bloqueados dentro de nós.

Isso é muito importante. Para entender melhor como é ter essas energias armazenadas dentro de nós, examinemos primeiro como seria se nada ficasse armazenado. E se tudo passasse diretamente por nós? Por exemplo, quando você viaja de carro pela estrada, é provável que passe por milhares de árvores. Elas não deixam impressões e somem assim que são percebidas. Enquanto dirige, você vê árvores, prédios, carros, mas nada disso deixa impressões duradouras. Há apenas uma impressão momentânea que lhe permite ver essas coisas. Embora entrem pelos sentidos e se formem na sua mente, assim que essas impressões surgem, elas são liberadas. Quando não levantam questões pessoais, elas são livremente processadas.

É assim que o sistema de percepção deve funcionar. Ele deve absorver as coisas, permitir que você as experimente e depois as deixe passar para que seu ser esteja inteiramente presente no momento seguinte. Enquanto estiver operando corretamente, você e ele estarão bem e tudo será simplesmente uma sucessão de experiências, uma atrás da outra. Dirigir é uma experiência, árvores passando são uma experiência, carros passando são uma experiência – dádivas que são dadas a você, como um grande filme. Elas passam através de você, despertando-o e estimulando-o. Na verdade, elas têm um efeito profundo. A todo momento ocorrem experiências, e você aprende e cresce com elas. Seu coração e sua mente se expandem e você é tocado em um nível muito profundo. Se a experiência é a melhor professora, nada se iguala à experiência da vida.

Viver a vida é experimentar o momento que passa e, em seguida, o próximo e o próximo. Muitas experiências diferentes vão passar através de você. É um sistema fantástico quando está funcionando direito. Se pudesse viver sempre nesse estado, você seria um ser totalmente consciente. Isso é viver o "agora". Um ser desperto, ou iluminado, está presente, a vida está presente, e a totalidade da vida passa através dele. Imagine que você estivesse tão inteiramente presente em cada experiência da vida que ela o tocasse até o fundo do seu ser. Cada momento seria uma experiência estimulante e comovente, porque você estaria completamente aberto e a vida fluiria através de você.

Mas não é isso que acontece com a maioria de nós. Em vez disso, é mais como se você estivesse dirigindo por uma rua – árvores, carros, tudo passando diretamente por você sem problemas. Então, inevitavelmente, algo não consegue passar. Havia aquele carro, um Ford azul-claro parecido com o de sua namorada. Quando ele passou, você notou duas pessoas abraçadas no banco da frente. Ao menos pareciam abraçadas, e o carro era bem semelhante ao da sua namorada. Mas era um carro como todos os outros, não era? Não. Não era como todos os outros para você.

Vamos examinar com atenção o que aconteceu. Com certeza, para a câmera dos olhos, não há diferença entre esse carro e os outros. A luz se reflete nos objetos, passa pela sua retina e cria uma impressão visual na sua mente. Assim, no nível físico, nada de diferente aconteceu. Mas, no nível mental, a impressão não passou. Quando o momento seguinte vem, você não nota mais as árvores. Não vê mais os carros. Seu coração e sua mente se fixaram naquele único automóvel, embora ele já tenha ido embora. Aqui você arrumou um problema. Há um bloqueio, um acontecimento ficou empacado. Todas as experiências subsequentes estão tentando passar por você, mas algo aconteceu aí dentro que deixou essa última experiência inacabada.

O que acontece com a experiência que não conseguiu passar? Especificamente, o que acontece quando a imagem do carro da namorada não some na memória profunda como tudo o mais? Em algum momento, você vai ter que parar de pensar nela para lidar com outra coisa – como o próximo semáforo, por exemplo. O que você não percebe é que toda a sua experiência de vida está prestes a mudar por causa do que não passou. A vida agora precisa competir pela sua atenção com esse acontecimento bloqueado, e a impressão que ele deixou não fica simplesmente ali, quieta. Você verá que sua tendência é pensar nela constantemente, tentando encontrar um jeito de processá-la na mente. Não foi preciso processar as árvores, mas dessa vez é necessário. Como você resistiu, o acontecimento ficou preso, e agora há um problema. Os pensamentos começam: "Bem, talvez não fosse ela. É claro que não era ela. Como poderia ser?" Pensamentos e mais pensamentos continuam a surgir. Isso o enlouquece. Todo esse ruído interno é apenas sua tentativa de processar a energia bloqueada e tirá-la do caminho.

A longo prazo, os padrões energéticos que não passam por você são expulsos do primeiro plano da mente e ficam guardados até que você esteja pronto para liberá-los. Esses padrões energéticos, que contêm enormes detalhes dos eventos associados a eles, são reais. Não desaparecem simplesmente. Quando você não consegue permitir que eles passem por você, os acontecimentos da vida ficam aí dentro e se tornam um problema, e esses padrões podem perdurar por um longo tempo.

Não é fácil manter a energia no mesmo lugar por muito tempo. Enquanto você luta decididamente para impedir que esses acontecimentos passem pela sua consciência, a energia tenta se liberar primeiro manifestando-se através da mente. É por isso que a mente fica tão ativa. Quando não consegue passar pela mente por causa de conflitos com outros pensamentos e conceitos mentais, a energia tenta se liberar pelo coração. É isso que cria toda a atividade emocional. Quando você resiste mesmo a essa liberação, a energia se condensa e é forçada a ficar armazenada no fundo do coração. Na tradição do yoga, esse padrão energético inacabado é chamado de *samskara*. Essa palavra em sânscrito significa "impressão" e nos ensinamentos é considerada uma das mais importantes influências que afetam a vida. O *samskara* é um bloqueio, uma impressão do passado, um padrão energético inacabado que acaba controlando a sua vida.

Para entender isso, vamos primeiro nos aprofundar nas leis físicas por trás desses bloqueios energéticos. Assim como a energia das ondas, a energia que entra em você precisa continuar em movimento. Mas isso não significa que ela não possa ficar bloqueada. Há um modo de ela continuar se movendo no mesmo lugar: circulando em torno de si mesma. Vemos isso nos átomos e nas órbitas dos planetas. Tudo é energia, e ela simplesmente se expandirá para fora se não for contida. Para que a criação se manifeste, a energia tem que entrar nessa dinâmica cíclica e criar uma unidade estável. É por isso que, manifestada como um átomo, a energia forma os elementos básicos de todo o universo físico. Ela gira em torno de si mesma, e, como já descobrimos, a energia que os átomos possuem é suficiente para explodir o mundo quando ela é liberada. Mas, a menos que seja forçada, a energia permanecerá controlada devido a seu estado de equilíbrio.

Esse processo de energia circulante é exatamente o que acontece com um *samskara*, que é um ciclo de padrões energéticos do passado armazenados em estado de relativo equilíbrio. É a sua resistência a experimentar esses padrões que faz a energia se manter girando em torno de si mesma. Ela não tem para onde ir. Você não está deixando. É assim que a maioria processa as próprias questões. Essa carga de energia circulante é literalmente armazenada no centro de energia do coração. Todos os *samskaras* que você colecionou no decorrer da vida ficam guardados lá.

Para entender inteiramente o que isso significa, voltemos ao exemplo do automóvel azul-claro que se parecia com o carro da sua namorada. Depois de condensados e guardados no coração, esses padrões energéticos ficam basicamente inativos. Pode parecer que você resolveu a situação e não tem mais problemas com aquela experiência. Talvez nem conte à sua namorada o que aconteceu para não parecer ciumento. Você não sabia o que fazer e resistiu à energia, que ficou guardada no coração, onde se mantém no pano de fundo, sem incomodar. Embora pareça que acabou, que tudo já passou, isso não é verdade.

Cada um dos *samskaras* que você guardou ainda está lá. Tudo o que não passou por você, desde que era bebê até este momento, ainda está aí dentro. São essas impressões, esses *samskaras*, que se acumulam pouco a pouco na válvula do coração espiritual e acabam restringindo o fluxo de energia.

Agora que entendemos de onde vêm os bloqueios dentro do coração, respondemos à questão estrutural de como eles funcionam. Sem dúvida, você compreende como o acúmulo de impressões pode levar a um estado em que pouquíssima energia consegue passar, e se elas se acumularem o suficiente, você recai num estado de depressão. Tudo fica sombrio porque um nível muito baixo de energia está entrando em seu coração ou em sua mente. Por fim, tudo começa a parecer negativo, pois o mundo dos sentidos precisa passar por essa energia deprimida antes de chegar à sua consciência.

Mesmo que você não tenha tendência à depressão, ainda assim seu coração fica bloqueado com o tempo. As questões apenas se acumulam. Mas ele fica bloqueado sempre. Dependendo das experiências da vida, ele pode se abrir e se fechar com bastante frequência. Isso nos leva à pergunta seguinte: qual é a causa dessas mudanças frequentes do estado do coração? Se observar com atenção, você vai ver que ela está relacionada com as mesmas impressões armazenadas que causaram os bloqueios.

Os padrões energéticos armazenados são reais. Na verdade, cada *samskara* está programado com os detalhes específicos do acontecimento que não conseguiu passar. Se você sente ciúme porque pensou ter visto sua namorada abraçando alguém no carro, dados muito detalhados desse evento ficam guardados no *samskara*, que vai ter a vibração e a natureza do acontecimento e até mesmo seu nível de sensibilidade em relação a ele.

Para perceber isso, vamos ver o que acontece no futuro. Cinco anos depois, você não está mais com aquela namorada. Casou-se com outra pessoa e está muito mais maduro. Certo dia, sai para passear de carro com a família e está se divertindo. As árvores passam, os carros passam, então um Ford azul-claro passa com duas pessoas abraçadas no banco da frente. Imediatamente, algo muda em seu coração. Na verdade, ele parece parar por um instante e depois acelera. Você começa a ficar irritado, mal-humorado e agitado. O dia já não está mais tão bom. Todas essas mudanças interiores ocorrem porque seu coração se perturbou quando você viu aquele carro. É realmente espantoso se distanciar e examinar esse processo. Cinco anos atrás, durante poucos minutos, um acontecimento teve lugar. Você nunca falou dele a ninguém e, agora, um carro azul-claro passa e muda o fluxo de energia de seu coração e sua mente.

Por mais inacreditável que pareça, isso é verdade. E não vale só para automóveis azul-claros, mas tudo que não conseguiu passar por você. Não admira que nos sintamos tão sobrecarregados. Não admira que o coração não pare de se abrir e se fechar. A energia armazenada nele é real e interage com o fluxo de pensamentos e acontecimentos atuais. A dinâmica dessa interação causa a ativação das vibrações armazenadas como *samskaras*, às vezes anos depois. Foi o que aconteceu com o Ford azul-claro. Entenda, no entanto, que nem é preciso um carro idêntico para ativar a energia armazenada. Poderia ser um Ford preto ou qualquer outro carro com pessoas se abraçando. Qualquer coisa na mesma vizinhança simbólica tem o potencial de estimular um *samskara*.

A questão é que impressões passadas são estimuladas, mesmo as antigas, e afetam sua vida. As informações sensoriais dos eventos de hoje vasculham tudo o que você armazenou durante anos e restauram os mesmos padrões energéticos associados ao que está acontecendo no momento. Quando é estimulado, o *samskara* se abre como uma flor e começa a liberar a energia armazenada. De repente, flashes do que você vivenciou quando o evento original ocorreu chegam à sua consciência – os pensamentos, os sentimentos, às vezes até cheiros e outras informações sensoriais. O *samskara* pode armazenar um instantâneo completo do acontecimento e é muito mais avançado que qualquer sistema computadorizado criado por seres humanos. Pode arquivar tudo o que você estava sentindo e pensando e tudo o que estava acontecendo em torno do evento. Todas essas informações são armazenadas numa minúscula bolha de energia dentro do seu coração. Anos depois, ela é estimulada e, instantaneamente, você vivencia os mesmos sentimentos que teve no passado. É realmente possível sentir os temores e a insegurança de uma criança de 5 anos aos 60. O que acontece é que aqueles padrões energéticos mentais e emocionais inacabados são armazenados e reativados.

Mas é igualmente importante perceber que a maior parte do que você absorve não fica bloqueado e passa direto. Imagine quantas coisas você vê o dia todo. Elas não ficam todas armazenadas. De todas essas impressões, as únicas que ficam são as que causam problemas ou alguma sensação extraordinária de prazer. Sim, você armazena impressões positivas também. Quando vive uma experiência maravilhosa, você se apega a ela, não quer que ela passe: "Não quero que esta aqui vá embora. Ele me disse que me amava e me senti tão amada e protegida! Quero continuar revivendo este momento. Repita-o para mim várias e várias vezes..." Apegar-se cria *samskaras* positivos que, quando estimulados, liberam energia positiva. Portanto, dois tipos de experiências podem bloquear o coração: ou você tenta repelir as energias que incomodam ou tenta manter por perto aquelas de que gosta. Em ambos os casos, você não as deixa passar e desperdiça energia preciosa bloqueando o fluxo com resistência e apego.

A alternativa é curtir a vida em vez de se apegar a ela ou repeli-la. Se conseguir viver assim, cada momento vai mudar você. Se estiver disposto a vivenciar a dádiva da vida em vez de brigar com ela, você será tocado nas profundezas de seu ser e começará a entender os segredos do coração – que é o lugar por onde a energia flui para sustentar você. Essa energia o inspira e o eleva, ela é a força que o conduz ao longo da vida. É a linda experiência do amor que se derrama por todo o seu ser, e isso deve acontecer dentro de nós o tempo todo. O estado mais elevado que você já experimentou é simplesmente o resultado de quão aberto estava na ocasião. Se você não se fechar, pode ser assim o tempo todo. Não se subestime. Isto pode acontecer o tempo todo: inspiração sem fim, amor sem fim, abertura sem fim – esse é o estado natural de um coração saudável.

Para alcançar esse estado, simplesmente permita que as experiências da vida venham e passem através do seu ser. Se energias antigas voltarem porque você não conseguiu processá-las antes, livre-se delas agora. É fácil assim. Quando aquele carro azul-claro passar e você sentir medo ou ciúme, apenas sorria. Fique feliz por esse *samskara*, armazenado aí dentro durante todo esse tempo, ter tido a oportunidade de passar por você. Basta se abrir, relaxar o coração, perdoar, rir ou fazer o que quiser. Só não o empurre de volta. Sem dúvida, é doloroso quando ele surge. Se foi armazenado com dor, será liberado com dor. Você tem que decidir se quer continuar com toda essa dor armazenada bloqueando o seu coração e limitando a sua vida. A alternativa é estar disposto a deixá-la ir quando for estimulada. Dói apenas por um minuto e depois acaba.

Portanto, você precisa optar: quer tentar mudar o mundo para ele não perturbar os seus *samskaras* ou está disposto a passar por esse processo de purificação? Não tome decisões com base em energias bloqueadas que foram estimuladas. Aprenda a estar centrado o suficiente para apenas observar à medida que elas surgem. Depois que estiver suficiente e profundamente assentado dentro de si e tiver parado de brigar com os padrões energéticos armazenados, eles aparecerão constantemente e passarão direto por você. Eles vão surgir durante o dia e até em seus sonhos. Seu coração vai então se acostumar com o processo de liberar e purificar. Apenas permita que tudo aconteça. Aceite de uma vez. Não os processe um por um, pois isso demora demais. Mantenha-se centrado por trás deles e deixe-os ir. Assim como o corpo físico purga bactérias e outros corpos estranhos, o fluxo natural da sua energia purgará os padrões armazenados do seu coração.

A sua recompensa é um coração permanentemente aberto. Não há mais válvula. Você vive em amor e o amor o alimenta e o fortalece. Esse é um coração aberto. É assim que o instrumento do coração deve ser. Permita-se vivenciar todas as notas que o coração pode tocar. Se você relaxar e se soltar, essa purificação do coração será maravilhosa. Defina como meta o estado mais elevado que consegue imaginar e não se desvie de lá. Se escorregar, é só se levantar. Não faz mal. O próprio fato de querer passar por todo esse processo para libertar o fluxo de energia já significa que você é grandioso. Você vai chegar lá. Basta continuar deixando passar.

CAPÍTULO 7

Transcendendo a tendência a se fechar

As bases do crescimento espiritual e do despertar pessoal se fortalecem muito com as descobertas da ciência ocidental. A ciência nos mostrou como um campo subjacente de energia forma átomos, que se unem em moléculas e enfim se manifestam como todo o universo físico. O mesmo acontece dentro de nós. Tudo o que se passa aqui dentro também tem como base um campo energético subjacente. São os movimentos desse campo que criam nossos padrões mentais e emocionais, assim como nossas motivações interiores, nossos desejos e reações instintivas. Seja qual for o nome que se dê a esse campo de força interior – *Chi*, *Shakti* ou Espírito –, ele é uma energia subjacente que flui em padrões específicos através do seu ser.

Quando examinamos esses padrões dentro de nós e em outras espécies de seres vivos, não é difícil perceber que o fluxo de energia mais primitivo é o instinto de sobrevivência. Ao longo de éons de evolução, das formas de vida mais simples às mais complexas, sempre houve a luta cotidiana pela autoproteção. Em nossas estruturas sociais cooperativas, esse instinto de sobrevivência passou por mudanças evolutivas. Para a maioria de nós, já não falta comida, água, roupa nem abrigo. Também não enfrentamos regularmente ameaças à nossa vida. Como resultado disso, a energia de proteção se adaptou para defender o indivíduo em termos psicológicos, não mais fisiológicos. Hoje experimentamos a necessidade cotidiana de defender a imagem que temos de nós mesmos, não mais nosso corpo. Nossas maiores dificuldades acabam sendo nossos temores, inseguranças e padrões destrutivos de comportamento – não as forças externas.

Ainda assim, os mesmos impulsos que levam um veado a fugir nos incitam a fazer isso. Suponha que alguém levante a voz para você ou fale de um assunto incômodo. Essas não são circunstâncias fisicamente ameaçadoras, mas seu coração começa a bater um pouco mais depressa. É exatamente o que acontece com os veados quando eles ouvem algum barulho. O coração deles começa a bater mais depressa e eles ficam paralisados ou fogem. No seu caso, entretanto, o medo não costuma ser do tipo que o faz fugir fisicamente. É apenas um medo pessoal e profundo que exige proteção.

Como não é socialmente aceitável fugir para a floresta e se esconder como um veado, você se esconde dentro de si. Você se retrai, se fecha e recua para trás de seu escudo protetor, mas está, na realidade, fechando seus centros de energia. Mesmo que não saiba que os possui, você os fecha desde o jardim de infância. Sabe exatamente como fechar seu coração e levantar um escudo psicológico de proteção para não ficar receptivo e sensível demais às diversas energias que entram e lhe causam medo.

Quando se fecha e se protege, você constrói uma concha ao redor daquela parte sua que é fraca. É essa parte que sente necessidade de proteção, mesmo que não haja nenhuma ameaça física. Você protege seu ego, sua imagem de si. Embora a situação não apresente nenhum perigo físico, ela pode fazê-lo se sentir perturbado, com medo, inseguro e sujeito a outros problemas emocionais. E então você tem a sensação de que precisa se proteger.

O problema é que essa parte de você que fica perturbada é totalmente desequilibrada. Ela é tão sensível que a menor coisinha a leva a reagir de maneira exagerada. Você mora num planeta que está girando no meio do espaço sideral e o que lhe causa preocupação são as manchas à sua reputação, o arranhão no carro novo ou o fato de ter arrotado em público. Isso não é saudável. Se seu corpo físico fosse tão sensível assim, você diria que está doente. Mas nossa sociedade considera essa sensibilidade psicológica normal. Como a maioria de nós não tem que se preocupar em arranjar comida, roupa ou abrigo, nos damos ao luxo de nos inquietar com uma mancha na calça, com algo que dissemos de errado ou com uma risada ruidosa demais que deixamos escapar. Como desenvolvemos essa psique hipersensível, constantemente usamos as nossas energias para nos fechar em torno dela e nos proteger. Mas esse processo só esconde o problema, sem resolvê-lo. Você está trancando sua doença dentro de si – e ela só vai piorar.

Você vai chegar a um ponto de seu crescimento em que entenderá que se continuar se protegendo, nunca será livre. É simples assim. Por estar com medo, você se trancou dentro de casa e fechou todas as cortinas. Agora está escuro e você quer sentir a luz do sol, mas não pode. É impossível. Quando se fecha e se protege, você está trancando essa pessoa insegura e apavorada dentro do seu coração. E assim nunca será livre.

No fim das contas, se você conseguir se proteger perfeitamente, nunca vai crescer. Todos os seus hábitos e idiossincrasias continuarão iguais. A vida fica estagnada quando as pessoas protegem as questões que vivem guardando. Elas dizem coisas como "Você sabe que não falamos desse assunto perto de seu pai". E criam-se todas essas regras sobre coisas que não devem acontecer no lado de fora porque podem perturbar por dentro. Viver assim deixa pouquíssimo espaço para a alegria espontânea, o entusiasmo e a empolgação com a vida. A maioria de nós acaba vivendo dia após dia tentando se proteger e se assegurar de que nada dê errado demais. No fim do dia, se alguém pergunta "Como foi seu dia?", a resposta comum é: "Até que não foi muito ruim...". O que isso diz sobre essa forma de ver a vida? Essas pessoas enxergam a vida como uma ameaça. Um dia bom significa que você passou por ele sem se ferir. Quanto mais vive assim, mais fechado você se torna.

Se quer mesmo crescer, é preciso fazer o contrário. O verdadeiro crescimento espiritual acontece quando só há um eu aí dentro de você, não quando existe uma parte com medo e outra que a está protegendo. Todas as partes estão unificadas. E como não há nenhuma parte que você não esteja disposto a ver, a mente não fica mais dividida entre consciente e subconsciente. Tudo o que você vê dentro de si é apenas algo que está vendo dentro de si. Não é você; é o que você vê. Há somente a energia pura – que se derrama dentro de você e cria as ondas de pensamentos e emoções – e a consciência – que percebe tudo isso. Há simplesmente você observando a dança da psique.

Para atingir esse estado de percepção, é preciso deixar toda a psique aflorar. É preciso dar a cada um dos pedacinhos separados dela a permissão para seguir em frente. Agora mesmo, muitas partes fragmentadas da sua psique estão guardadas dentro de você. Se quer ser livre, tudo tem que ser igualmente exposto à sua consciência e liberado, mas isso nunca vai acontecer se você continuar se fechando. Afinal, o propósito de se fechar é assegurar que as partes sensíveis da psique não fiquem expostas. Então você finalmente compreende que, por maior que seja a dor criada pela exposição, esse é um preço que vale a pena pagar em nome da liberdade. Quando não estiver mais disposto a se identificar com essa parte sua que se separa em um milhão de pedacinhos, você estará pronto para o verdadeiro crescimento.

Comece vendo a tendência a se proteger e se defender. Há uma propensão inata e muito profunda a se fechar, principalmente em torno dos pontos sensíveis. Mas você finalmente notará que se fechar dá um trabalho enorme. Quando se fecha, você tem que garantir que aquilo que está protegendo não será perturbado. Então assume essa tarefa pelo resto da vida. A alternativa é se tornar consciente o bastante para conseguir simplesmente observar essa parte do seu ser que está constantemente tentando se proteger. E então você poderá dar a si mesmo a suprema dádiva de decidir não fazer mais isso, de decidir se livrar dela.

Comece observando a vida e prestando atenção no fluxo constante de pessoas e situações que entram na sua vida todos os dias. Com que frequência você se vê tentando proteger e defender aquela parte fraca de si mesmo? Você sente que o mundo quer atingi-la, que, em todos os lugares, há algo ou alguém tentando perturbá-lo, irritá-lo. Por que não deixar que consigam? Se realmente não a quer mais, não há por que protegê-la.

A recompensa por não proteger a sua psique é a liberação. Você fica livre para andar por aí sem nenhum problema na cabeça, só se divertindo, experimentando o que virá em seguida. Como se livrou daquela parte de si que estava com medo, não precisa mais se preocupar em se ferir ou ser perturbado. Não tem mais que escutar "O que eles vão pensar de mim?", ou "Meu Deus, queria não ter dito isso, soou tão idiota". Você simplesmente faz o que tem que fazer e dedica todo o seu ser ao que está acontecendo no momento, não em suas suscetibilidades pessoais.

Depois de assumir o compromisso de se libertar dessa pessoa apavorada que tem aí dentro, você vai notar que há um ponto de decisão claro no qual o seu crescimento espiritual acontece: o momento em que você começa a sentir sua energia mudar. Por exemplo, alguém diz alguma coisa e você começa a sentir uma energia estranha, um aperto. Essa é a deixa de que está na hora de crescer. Não é hora de se defender, porque você não quer essa parte sua que poderia proteger. Se não a quer, desapegue.

Mais cedo ou mais tarde, você vai ficar consciente o bastante para parar no minuto em que a energia começar a ficar estranha, para parar de se envolver com ela. Se essa energia costuma levá--lo a começar a falar, você vai parar no meio da frase, porque sabe onde isso vai dar se continuar. No momento em que perceber o desequilíbrio energético, em que notar o coração começando a ficar tenso e na defensiva, você simplesmente vai parar.

E o que significa exatamente "parar"? Trata-se de algo que se faz por dentro: desapegar. Quando desapega, você não vai atrás da energia que está tentando puxá-lo para aquilo. Suas energias interiores têm poder. Elas são muito fortes e atraem a sua consciência. Se um martelo cair no seu dedão do pé, toda a sua consciência vai se concentrar ali. Se um som alto surgir de repente, mais uma vez, toda a sua consciência vai se concentrar ali. A consciência tende a focar a inquietação, e as perturbações interiores não são exceção. Mas você não tem que deixar isso acontecer e realmente tem a capacidade de não se envolver.

Quando as energias interiores começam a se movimentar, você não precisa se deixar levar por elas. Por exemplo, quando seus pensamentos surgem, você não tem que ir atrás deles. Digamos que você está dando um passeio e vê um carro passando. Seus pensamentos dizem: "Puxa, eu queria ter um carro daqueles!" Você poderia continuar apenas caminhando, mas começa a ficar aborrecido porque quer um carro daqueles, mas seu salário não é suficiente. Então começa a pensar em como arranjar um aumento ou outro emprego. Mas não precisava fazer nada disso. Poderia ter sido só: aí vem o carro, lá vai ele; aí vem o pensamento, lá vai ele. Ambos vêm e vão juntos, porque você não se deixou levar por eles. É isso que significa estar centrado.

Quando você não está centrado, a sua consciência simplesmente segue tudo que chama a sua atenção. Você vê o carro passar e já se põe a fazer algo a respeito. No outro dia, vê um barco, então de repente só pensa nele e esquece o carro. Há pessoas assim. Elas não conseguem se manter no emprego e seus relacionamentos não costumam dar certo. Elas querem tudo ao mesmo tempo e sua energia é muito fragmentada.

Você tem a capacidade de não se deixar levar por nenhum desses pensamentos. Pode apenas continuar assentado no lugar da consciência e desapegar deles, deixá-los para lá. Um pensamento ou sentimento aflora, você o percebe e ele passa porque você permite. Essa técnica pressupõe a compreensão de que pensamentos e emoções são apenas objetos da consciência. Quando vê seu coração começar a se inquietar, você obviamente está ciente dessa experiência. Mas quem está ciente? A consciência, o ser que mora em você, a Alma, o Eu. É aquele que vê. As mudanças que você experimenta em seu fluxo interior de energia são apenas objetos dessa consciência. Se você quer ser livre, toda vez que sentir qualquer mudança no fluxo de energia, relaxe. Não lute contra ela, não tente mudá-la, não a julgue. Não diga: "Ah, não acredito que ainda estou sentindo isso. Prometi a mim mesmo que não ia mais pensar nesse carro." Não faça isso; você vai acabar sendo levado pelo pensamento de culpa – no lugar do pensamento sobre o carro. Você tem que desapegar de todos eles.

Mas não se trata apenas de desapegar de pensamentos e emoções. Na verdade, a questão é se esquivar da atração que a própria energia exerce sobre a sua consciência. A inquietação tenta atrair sua atenção. Se conseguir usar a força de vontade interior para não ir atrás dela e permanecer assentado, você vai notar que a distinção entre a consciência e o objeto da consciência é clara como noite e dia. São coisas totalmente diferentes. O objeto vem e vai; a consciência o observa vindo e indo. Então o objeto seguinte vem e vai, enquanto a consciência o observa. Ambos os objetos vieram e se foram, mas a consciência, que se mantém constante e observa tudo, não foi a lugar nenhum. Ela experimenta a criação de pensamentos e emoções e tem clareza suficiente para ver de onde eles vêm. Ela vê tudo isso sem pensar, vê o que está acontecendo aí dentro com a mesma facilidade com que vê o que está acontecendo aqui fora.

Ela simplesmente observa. O Eu observa as energias interiores mudando de acordo com forças internas e externas. Toda a energia que ele observa simplesmente vem e vai – a menos que você perca seu centro de consciência e se deixe levar por ela.

Vamos dar uma olhada em câmera lenta no que acontece quando você se deixa levar por essas energias. Primeiro, você começa a ter um pensamento ou sentimento. Esse sentimento pode ser sutil – como a sensação de seu fluxo de energia começando a ficar apertado e na defensiva – ou muito mais forte. Se essas energias capturam a sua consciência e todo o seu poder de percepção se concentra nelas, isso as alimenta, pois a consciência é uma força extremamente poderosa. Quando você se concentra nesses pensamentos e emoções, eles ficam carregados de energia e poder. É por isso que, quanto mais atenção você lhes dedica, mais fortes eles se tornam. Digamos que você sinta um pouco de ciúme ou um pouco de medo. Quando se concentra nessas emoções, a importância delas aumenta e elas passam a exigir cada vez mais sua atenção. Então, como sua atenção as está alimentando, elas recebem ainda mais energia e atraem ainda mais atenção. É assim que funciona o ciclo. Finalmente, o que começou como um pensamento ou sentimento passageiro pode se tornar o centro da sua vida, porque, se não o deixar para lá e desapegar, ele pode sair completamente do controle.

Uma pessoa sensata permanece centrada o suficiente para abandonar a energia toda vez que ela se coloca no modo defensivo. Assim que a energia mudar e você sentir sua consciência começar a ser atraída por ela, relaxe e desapegue. Isso significa manter-se um passo atrás da energia em vez de embarcar nela. Basta um instante de esforço consciente para decidir que você não vai se deixar levar. Você simplesmente para de lhe dar atenção. Mais vale correr o risco e desapegar do que ir atrás dela. Quando está livre do domínio que a energia exerce sobre você, você está livre para experimentar a alegria e a expansividade que existem aí dentro.

E você decide usar a vida para se libertar. Dispõe-se a pagar qualquer preço pela liberdade da alma. Você vai perceber que o único preço a pagar é desapegar de si mesmo. Só você pode negar ou dar a liberdade interior a si mesmo. Ninguém mais tem esse poder. Não importa o que os outros fazem, a menos que você decida que importa. Comece com coisas pequenas. Tendemos a nos deixar irritar com as coisas mesquinhas e sem sentido que acontecem no dia a dia. Por exemplo, alguém buzina para você no semáforo. Quando essas coisinhas acontecerem, você vai sentir a sua energia mudando. Nesse momento, relaxe os ombros e a área em torno do coração. Assim que a energia se mobilizar, simplesmente relaxe e solte. Brinque com isso de desapegar, deixar o incômodo para lá e se manter um passo atrás dessa sensação. Digamos que alguém no trabalho pegou o seu lápis e você nota que, toda vez que vai usar outro lápis, sua energia interior muda – mesmo que seja só um pouquinho. Você está disposto a desapegar do lápis antigo para poder se libertar? É assim que se pode transformar a liberdade num jogo. Em vez de mergulhar na irritação, você mergulha na liberdade. Quando estender a mão para pegar um lápis e se sentir um pouco tenso, deixe para lá. Sua mente talvez comece a dizer: "Foi só um lápis hoje, mas, se eu deixar para lá, vão pisar em mim. Amanhã será minha mesa, minha casa ou até minha esposa." É assim que a mente fala e ela é muito melodramática. Porém você decide que, pelo custo de um lápis, vai pagar para ver. E diz à mente: "Quando for o carro, a gente conversa. Neste momento, ser livre custa apenas um lápis." Simplesmente decida que, não importa o que a mente diga, você não vai se envolver. Não brigue com ela. Nem chegue a tentar fazer com que ela mude de ideia. Assim você transforma o ato de relaxar diante do melodrama num jogo. Aprenda a se libertar da tendência a se deixar levar. A raiz está no ponto em que a consciência percebe o poder de atração dessa energia.

Você vai ver que a energia tem mesmo esse poder de atraí-lo.

Ainda que decida não permitir, ela tem um poder imenso sobre você. Acontece em casa e no trabalho. Acontece com os filhos e com o cônjuge. Acontece com tudo e todo mundo, o tempo inteiro. Suas oportunidades para crescer são infinitas. Elas estão sempre aí, à sua frente. Basta assumir o compromisso de não se deixar levar pela atração da energia. Quando sentir esse ímpeto, como se fosse alguém puxando seu coração, apenas deixe para lá. Fique um passo atrás. Relaxe e solte. E não importa quantas vezes seja atraído: sua resposta será sempre relaxar e soltar. Como essa tendência a ser atraído é constante, a disposição para desapegar e se manter um passo atrás também tem que ser constante.

Seu centro de consciência é sempre mais forte do que a energia que o está puxando. Você só precisa estar disposto a exercer sua força de vontade, mas isso não é uma luta nem uma briga. Não é que você vá tentar impedir as energias de aflorar. Não há nada de errado em sentir a energia do medo, do ciúme ou da atração. Não é culpa sua que elas existam. Todos os gostos, aversões, pensamentos e sentimentos não fazem a menor diferença. Eles não o tornam puro nem impuro, pois não são você. Você é aquele que está observando, é a pura consciência. Não pense que estaria livre se não tivesse esses sentimentos. Isso não é verdade. Se pode ser livre mesmo experimentando todos esses sentimentos, isso significa que você, na verdade, já é livre – porque sempre haverá algo a incomodá-lo.

Se conseguir aprender a se manter centrado diante das coisas menores, vai ver que também consegue se manter centrado diante das maiores e, com o tempo, mesmo diante de questões enormes. Os acontecimentos que seriam capazes de destruí-lo no passado podem vir e ir embora, deixando-o perfeitamente centrado e em paz. Você pode ficar bem, lá no fundo, mesmo em face de uma profunda sensação de perda. Não há nada de errado em estar em paz e centrado, desde que você libere a energia em vez de reprimi-la. Em última análise, mesmo que coisas terríveis aconteçam, você deve ser capaz de viver sem impressões nem cicatrizes emocionais. Se não guardar essas questões dentro de si, seguirá com sua vida sem sofrer danos psicológicos. Não importa o que aconteça: é sempre melhor desapegar do que se fechar.

Há um lugar, bem lá no fundo, em que a consciência toca a energia e a energia toca a consciência. É aí que está o seu trabalho. Nesse lugar, você desapega e deixa para lá. E quando começar a fazer isso a cada minuto de cada dia, ano após ano, será aí que você vai passar a viver. Nada será capaz de tirá-lo do assento da consciência. Você aprenderá a ficar lá. Depois de dedicar anos e anos a esse processo e aprender a deixar a dor para lá, por mais profunda que seja, você alcançará um ótimo estado. Isso representará o rompimento do hábito supremo: a atração constante do eu inferior. Você então estará livre para explorar a natureza e a fonte do seu verdadeiro ser: a Pura Consciência.

PARTE III

A libertação

CAPÍTULO 8

Desapegue agora ou se perca

O conhecimento do Eu está inextricavelmente entrelaçado ao desenrolar da vida. Os altos e baixos naturais da existência podem ou estimular o crescimento pessoal ou alimentar medos pessoais – e isso depende inteiramente de como lidamos com as mudanças. Podemos considerá-las empolgantes ou assustadoras, mas não importa: todo mundo precisa encarar o fato de que a essa é a própria natureza da vida. Quem tem muito medo não gosta de mudanças e tenta criar um mundo previsível, controlável e definível em torno de si – um mundo que não estimule seus medos. O medo não quer se sentir; na verdade, ele tem medo de si mesmo. Assim, a pessoa começa a utilizar a mente numa tentativa de manipular a vida para não sentir medo.

É difícil entender que o medo é uma coisa, apenas mais um objeto no universo que somos capazes de experimentar. Diante dele, é possível fazer das duas, uma: reconhecer que o sentimos e trabalhar para liberá-lo ou guardá-lo e tentar nos esconder dele.

Como as pessoas não lidam objetivamente com ele, elas não entendem o medo e acabam guardando-o e tentando impedir que os acontecimentos o despertem. Elas então passam a vida tentando criar uma atmosfera de segurança e controle ao definir como a vida precisa ser para estarem bem. É assim que o mundo se torna assustador.

Isso pode não parecer assustador; pode parecer seguro. Mas não é. Quando você vive assim, o mundo realmente se torna ameaçador. A vida se torna uma situação de "eu contra eles". Se você tem medo, insegurança ou fraqueza dentro de si e tenta impedir que esses sentimentos sejam estimulados, inevitavelmente haverá acontecimentos e mudanças na vida que vão colocar seu esforço à prova. Resistindo às mudanças, você sente que está lutando contra a vida, que fulano não está se comportando como deveria, que esse ou aquele evento não se desenrolou como você achava que queria. Você considera perturbadoras algumas situações que aconteceram no passado e vê o futuro como um mar de problemas em potencial. Suas definições do que é desejável e indesejável, do que é bom e mau vêm à tona totalmente porque você definiu de que modo as coisas precisam ser para que se sinta bem.

Todo mundo sabe que está fazendo isso, mas ninguém questiona essa atitude. Nós achamos que precisamos desvendar como a vida deve ser e então transformá-la nisso aí. Só quem examinar esse comportamento a fundo e se perguntar por que precisamos que os acontecimentos da vida sejam assim ou assado vai questionar essa suposição. Como chegamos à ideia de que a vida não está perfeitamente boa do jeito que é ou que não será boa no futuro? Quem disse que o jeito como a vida naturalmente se desenrola não está completamente certo?

A resposta é: o medo. Aquela parte sua que não se sente bem consigo mesma não consegue encarar o desenrolar natural da vida porque não tem controle sobre ele. Se a vida se desenrola de um jeito que estimula seus problemas interiores, então, por definição, ela não está boa. Na verdade, a dinâmica é bem simples: aquilo que não o inquieta é bom; aquilo que o inquieta não é. Definimos todo o escopo da nossa experiência exterior com base em nossos problemas íntimos. Se quiser alcançar um maior crescimento espiritual, você tem que mudar isso. Se você está definindo a criação com base na parte mais problemática do seu ser, como espera que a criação seja? Ela vai parecer igualmente assustadora e problemática.

À medida que cresce espiritualmente, você percebe que, na verdade, sua tentativa de se proteger dos seus problemas cria mais problemas. Ao tentar organizar pessoas, lugares e coisas de forma que não o perturbem, você começa a sentir que a vida está contra você, que ela é uma luta e que todo dia é um fardo, porque você tem que controlar e brigar com tudo. Haverá competição, ciúme e medo. Você vai sentir que qualquer um, a qualquer momento, pode lhe causar alguma inquietação. Basta que digam ou façam alguma coisa para que, no momento seguinte, você perceba a inquietação dentro de si. Isso torna a vida uma ameaça. É por isso que você precisa se preocupar tanto. É por isso que todos esses diálogos acontecem dentro da sua mente: você está sempre tentando descobrir como impedir que as coisas aconteçam ou o que fazer quando elas já aconteceram. Está brigando com a criação – e é isso que a torna a coisa mais assustadora na sua vida.

A alternativa é decidir não lutar contra a vida. Você entende e aceita que ela não está sob o seu controle. A vida muda constantemente e, se você ficar o tempo todo tentando controlá-la, nunca será capaz de vivê-la plenamente. Em vez de vivê-la, terá medo dela. Porém, ao tomar a decisão de não brigar mais com a vida, você vai ter que enfrentar o medo que o levava a isso. Felizmente, não é preciso manter esse medo dentro de você. A vida sem medo existe. Para ter contato com essa possibilidade, primeiro precisamos de uma compreensão mais profunda acerca do próprio medo.

Quando há medo dentro de você, é inevitável que os acontecimentos da vida o estimulem. Como uma pedra jogada na água, o mundo, com suas mudanças contínuas, cria ondas em tudo que está guardado dentro de você. Não há nada de errado nisso. A vida cria situações que o levam ao limite – cujo maior efeito é remover o que está bloqueado dentro de você. O que está bloqueado e guardado fundo forma a raiz do medo, que é causado por bloqueios no fluxo de energia. Quando bloqueada, sua energia não consegue aflorar e alimentar seu coração, que, por sua vez, fica enfraquecido. Quando está fraco, o coração se torna suscetível a vibrações inferiores – e uma das mais inferiores é o medo. O medo é a causa de todos os problemas. Ele está na raiz de todos os preconceitos e de emoções negativas como a raiva, o ciúme e a possessividade. Se você não sentisse medo, poderia ser perfeitamente feliz vivendo neste mundo. Nada o incomodaria. Você estaria disposto a enfrentar tudo e todos, porque não teria dentro de si a semente da inquietação.

Embora o propósito da evolução espiritual seja remover os bloqueios que causam o seu medo, você pode resolver protegê-los para não precisar sentir medo. No entanto, para isso, você tem que tentar controlar tudo de forma a evitar lidar com suas questões íntimas e, apesar de ser difícil entender como essa pode parecer uma decisão inteligente, todo mundo faz isso. Todos dizem: "Farei tudo o que for possível para proteger as minhas coisas. Se você disser algo inquietante, vou me defender. Vou gritar com você e obrigá-lo a voltar atrás. Se provocar qualquer incômodo dentro de mim, vou fazê-lo se arrepender." Em outras palavras, sempre que alguém fizer algo que estimule o seu medo, você vai pensar que esse alguém fez algo errado e então fará todo o possível para assegurar que isso nunca se repita. Primeiro você se defende, depois se protege. Você faz tudo o que pode para evitar a inquietação.

Finalmente, você se torna sensato a ponto de perceber que não quer ter toda essa tralha dentro de você. Não importa quem a estimule. Não importa qual situação pise no seu calo. Não importa se faz sentido nem se parece justo ou não. Infelizmente, a maioria de nós não tem tanta sabedoria. Na verdade, em vez de tentar nos libertar das nossas questões, tentamos justificar a importância de mantê-las.

Se quiser mesmo alcançar algum crescimento espiritual, você perceberá que se agarrar à sua tralha é o que o mantém preso – e finalmente vai querer sair disso a qualquer custo. Então vai se dar conta de que, na verdade, a vida está tentando ajudá-lo, cercando-o de pessoas e situações que estimulam o seu crescimento. Você não precisa decidir o tempo todo quem está certo e quem está errado. Não tem que se preocupar com as questões dos outros. Você só precisa estar disposto a abrir o coração diante de tudo e permitir que o processo de purificação aconteça. Quando fizer isso, a primeira coisa que verá são situações inquietantes. Mas, na verdade, é exatamente isso o que vem acontecendo a vida inteira. A única diferença é que agora você considera isso algo bom, uma oportunidade de desapegar.

A tralha que impede o seu crescimento periodicamente levanta a cabeça. Quando isso acontecer, desapegue. Simplesmente permita que a dor suba até seu coração e passe por ele. Se o fizer, ela passará. Se você está sinceramente em busca da verdade, vai deixar todas essas coisas para lá e desapegar todas as vezes. Este é o começo e o fim do caminho: você se entrega ao processo de se esvaziar. Quando trabalha isso, você começa a aprender as leis mais sutis do processo de desapego.

Há uma lei que você vai aprender logo no início do jogo porque é uma verdade inevitável. Mesmo assim, você vai fracassar muitas vezes tentando segui-la. Trata-se de algo muito objetivo: quando suas questões forem desafiadas, desapegue na mesma hora, porque depois será mais difícil. Não será mais fácil se você pensar mais sobre o assunto ou brincar com a situação, na esperança de diminuir sua carga emocional. Não será mais fácil falar a respeito nem tentar liberar só uma parte de cada vez. Se quiser ser livre até o âmago de seu ser, você vai ter que desapegar, porque depois não ficará mais fácil.

Para viver segundo essa lei, é preciso entender seus princípios. Em primeiro lugar, é preciso perceber que há algo dentro de você que precisa ser liberado. Depois, é preciso compreender que você, aquele que percebe as emoções aflorando, é distinto do que você está sentindo. Você está observando, mas quem é você? Esse lugar de percepção centrada é o assento da testemunha, o assento do Eu. E é só a partir daí que você pode desapegar de tudo o que surgir. Digamos que você note que algo em seu coração foi mobilizado. Se desapegar e permanecer assentado na consciência, aquilo que você está observando vai passar. Se não for capaz de desapegar e acabar se deixando levar pelos sentimentos e pensamentos de inquietação, você verá uma sequência tão rápida de acontecimentos que não saberá o que o atingiu.

Se não desapegar, você vai notar que a energia estimulada no coração funciona como um ímã. É uma força extremamente atraente que puxa sua consciência para si. Logo em seguida, você percebe que não está mais ali, que não manteve o mesmo ponto de vista perceptivo que tinha quando notou a inquietação. Você abandona o assento da consciência objetiva de onde pôde ver seu coração começando a reagir e se deixa levar pelas energias em constante movimento que vêm do seu coração. Algum tempo depois, você vai voltar e perceber que não estava lá. Vai voltar e perceber que estava totalmente perdido em meio à sua tralha. E então vai se pegar desejando não ter dito nem feito nada de que possa se arrepender.

Você olhará o relógio e cinco minutos terão se passado – ou uma hora, ou mesmo um ano. É possível perder a clareza por bastante tempo. Aonde você foi? Como voltou? Abordaremos essas questões daqui a pouco, mas o que realmente importa é que, quando está enxergando com clareza, você não vai a lugar nenhum. Fica simplesmente assentado na consciência observando suas convicções sendo colocadas em questão. Ao observá-las, você não se perde nelas.

O segredo é entender que, se não desapegar imediatamente, a força perturbadora da energia ativada vai atrair o foco da consciência. Quando a consciência mergulha na inquietação, você perde o assento claro do Eu. Acontece num instante. Você não sente que está indo a lugar algum, assim como acontece quando você fica absorto num livro ou num programa de TV. Você simplesmente perde o ponto fixo da consciência no qual tem uma percepção objetiva de tudo que o rodeia. Sua consciência abandona sua posição centrada de testemunha das várias energias à sua volta e você é levado a se concentrar em apenas uma delas.

Em geral, não abandonamos o assento do Eu por vontade própria. As leis da atração são as responsáveis por isso. A consciência é sempre atraída pelo objeto que cria a maior distração: o dedo que deu uma topada, o ruído alto, o coração partido. É a mesma lei, por dentro e por fora. A consciência vai para o lugar que mais a distrai. É o que queremos dizer quando falamos: "Estava tão barulhento que chamou minha atenção." Isso quer dizer que algo atraiu sua consciência. Quando um bloqueio é mobilizado, essa mesma atração ocorre e a consciência é puxada para a fonte do incômodo, que se torna, então, o assento da sua consciência. Depois que o desconforto se acalma e diminui o domínio sobre a sua atenção, você naturalmente volta para o assento mais elevado da consciência, que é onde você permanece quando não é distraído por inquietações. Mas, por mais importante que seja esse lugar mais elevado, é igualmente importante ver o que acontece quando você se distrai com algum incômodo: o assento da sua consciência vai para onde a inquietação está e o mundo inteiro parece diferente.

Vamos analisar passo a passo o momento em que você se perde. Ele começa quando você se deixa levar pela energia de inquietação e vai parar exatamente onde não é seu lugar. O último local onde você quer pôr sua consciência é lá embaixo. Mas é para lá que ela será atraída. Agora, ao olhar o mundo através dessa energia, tudo fica distorcido pela neblina da inquietação. Coisas que pareciam belas agora são feias. Coisas de que gostava agora parecem sombrias e deprimentes. Na verdade, nada mudou. Você apenas está olhando a vida a partir desse lugar de inquietação.

Cada uma dessas mudanças de percepção deveria lembrá-lo de desapegar. No momento em que começa a ver que não gosta das pessoas de que gostava, que sua vida está muito diferente, que tudo começa a ficar negativo... desapegue. Deveria ter feito isso antes, mas não fez. O problema é que agora ficou mais difícil. Você deveria ter respirado fundo e desapegado quando começou. Agora é preciso muito trabalho para retomar o assento da consciência sem ter que passar pelo ciclo inteiro.

O ciclo é o tempo decorrido desde o momento em que você abandona seu lugar de relativa clareza até voltar a ele. Esse período é determinado pela profundidade do bloqueio energético que causou a inquietação inicial. Depois de ativado, o bloqueio tem que seguir seu curso. Se não desapegar dele, você será sugado. Não estará mais livre; terá ficado preso. Ao perder seu lugar de relativa clareza, você fica à mercê da energia da inquietação. Se esse bloqueio for estimulado por uma situação duradoura, você pode ficar muito tempo para baixo. Se por acaso for apenas um acontecimento passageiro e a energia liberada pelo bloqueio se dissipar imediatamente, você descobrirá que voltou depressa. A questão principal é que isso não está sob o seu controle. Você o perdeu.

Essa é a anatomia da perda de si mesmo. Quando estiver nesse estado de inquietação, sua tendência será agir para tentar consertar a situação. Você não tem clareza para ver o que está acontecendo; só quer que o desconforto desapareça. Então começa a seguir apenas seu instinto de sobrevivência. Talvez sinta que precisa tomar medidas drásticas, como largar seu cônjuge, ir morar em outro lugar, pedir demissão. A mente começa a lhe dizer todo tipo de coisa porque não gosta desse espaço e quer sair dele a qualquer custo.

Agora que você chegou a esse ponto, vem a cereja do bolo. Imagine que, enquanto está perdido na energia da inquietação, você realmente faça uma ou mais dessas coisas que sua mente lhe diz para fazer. Imagine o que aconteceria se você realmente pedisse demissão ou decidisse algo como: "Já aguentei tempo demais. Vou lhe dizer o que penso de verdade." Você não faz ideia de como essa descida é grande. Uma coisa é a inquietação que ocorre dentro de você. No entanto, assim que você permite que ela se exprima, assim que deixa essa energia mover seu corpo, você desceu a outro nível. Agora é quase impossível desapegar e deixar para lá. Quando começa a gritar com alguém, quando realmente diz a alguém o que sente a partir desse estado de falta de clareza, você envolve o coração e a mente da outra pessoa nas suas mesquinharias. Agora os dois egos estão envolvidos. Uma vez que externe essa energia, você vai querer defender suas ações e fazer com que pareçam apropriadas. Mas o outro nunca as verá assim.

Agora, ainda mais forças o estão mantendo para baixo. Primeiro você se perde na escuridão e depois manifesta essa escuridão. Ao fazer isso, você literalmente pega a energia do bloqueio e a passa adiante. Quando despeja suas mesquinharias no mundo, é como se o pintasse com elas. Você joga mais dessa energia no ambiente e ela volta para você, pois agora está cercado de pessoas que vão interagir com você a partir dela. Essa é apenas mais uma forma de "poluição ambiental" que afetará sua vida.

É assim que os ciclos negativos acontecem. Na verdade, você pega uma parte da sua tralha, que não passa de uma inquietação profundamente assentada cuja origem está no seu passado, e a implanta no coração dos que o cercam. Em algum momento, ela vai voltar para você. Tudo o que você joga no mundo volta. Imagine se você se aborrecesse e liberasse totalmente essa energia sobre outra pessoa. É assim que relacionamentos são arruinados e vidas são destruídas.

Quão baixo você pode descer? Depois que você está enfraquecido, outro bloqueio pode ser mobilizado, e mais outro. Você pode se perder tanto que sua vida se torna uma bagunça absoluta. Pode chegar a um ponto de perda total de controle e sair completamente de seu centro. Nesse estado, seu antigo lugar de clareza pode dar uma passadinha de vez em quando, mas você não consegue agarrá-lo. Agora você está perdido. Sabia que um único bloqueio mobilizado em seu coração pode deixá-lo perdido pela vida inteira? Isso já aconteceu.

E se tudo o que você precisasse fazer para evitar tudo isso fosse ter deixado para lá e desapegado no começo? Se houvesse agido desse modo, você teria subido em vez de descer. É assim que funciona. Um bloqueio mobilizado é uma coisa boa. É hora de se abrir internamente e liberar a energia bloqueada. Se você desapega dela e permite que o processo de purificação ocorra, ela será liberada. Assim ela pode fluir para cima, se purificar e voltar a se fundir ao seu centro de consciência. Então essa energia vai fortalecê-lo em vez de enfraquecê-lo. Você começará a subir cada vez mais alto e aprenderá o segredo da ascensão: nunca olhar para baixo, sempre para cima.

Não importa o que aconteça abaixo de você; volte os olhos para cima e relaxe o coração. Você não precisa abandonar o assento do Eu para lidar com a escuridão. Ela vai se purificar sozinha se você permitir. Envolver-se nela não a desfaz; apenas a alimenta. Nem mesmo se vire em sua direção. Quando perceber energias perturbadas dentro de você, tudo bem. Não pense que não tem ainda alguns bloqueios a liberar. Basta se manter assentado na consciência e nunca sair desse lugar. Aconteça o que acontecer abaixo de você, abra seu coração e desapegue. Seu coração ficará purificado e você nunca se perderá novamente.

Se escorregar pelo caminho, basta se levantar e esquecer. Use a lição para fortalecer a sua determinação. Desapegue e deixe para lá no mesmo instante. Não racionalize, não se culpe nem tente entender. Não faça nada. Apenas desapegue imediatamente e permita que a energia volte ao centro mais elevado da consciência que ela puder alcançar. Se sentir vergonha, deixe-a para lá. Se sentir medo, deixe-o para lá. Tudo isso é remanescente da energia bloqueada que está finalmente sendo purificada.

Sempre desapegue assim que perceber. Não desperdice seu tempo; use a energia para ir para cima. Você é um grande ser que acabou de receber uma enorme oportunidade para explorar o que há além de si. O processo inteiro é muito emocionante, e você terá bons e maus momentos. Todo tipo de coisa acontecerá. Essa é a graça da jornada.

Então não se perca. Desapegue. Não importa o que seja, deixe para lá. Quanto maior a energia, maior a recompensa por desapegar, por deixar para lá, e maior a queda caso você não o faça. É bem preto no branco. Ou você desapega ou não. Não há meio-termo. Portanto, permita que todos os seus bloqueios e inquietações se tornem o combustível da jornada. Permita que aquilo que o puxa para baixo se torne uma força poderosa a elevá-lo. Você só precisa estar disposto a começar essa ascensão.

CAPÍTULO 9

Removendo o espinho interior

A transformação é uma constante na jornada espiritual. Para crescer, é preciso abrir mão da luta para permanecer igual e aprender a acolher a mudança o tempo todo. Uma das áreas em que mais devemos adotar essa ideia é no modo de resolver os contratempos pessoais. Normalmente, tentamos resolver nossas inquietações interiores nos protegendo, mas a real transformação começa quando aceitamos os problemas como agentes do crescimento. Vejamos como esse processo funciona. Imagine que, fincado em seu braço, há um espinho tocando diretamente um nervo. Quando algo esbarra nele, é muito doloroso. O espinho é um problema grave porque dói demais. É difícil dormir porque você se vira sobre ele. É difícil se aproximar das pessoas, pois elas podem esbarrar nele. A vida cotidiana se torna dificílima. Você não consegue sequer dar um passeio no bosque, porque o espinho pode roçar nos galhos. Ele é uma fonte de inquietação constante e, para resolver o problema, você só tem duas opções.

A primeira é examinar a situação e decidir que, como é muito perturbador quando algo esbarra no espinho, você precisa se assegurar de que isso não aconteça. A segunda é resolver que, já que lhe provoca tanta inquietação, você precisa retirá-lo. Acredite se quiser, a opção que você escolher vai determinar o resto da sua vida. Essa é uma das decisões essenciais e estruturais que lançam as bases do seu futuro.

Vamos começar examinando como a primeira opção afetará a sua vida. Ao decidir que precisa evitar que qualquer coisa esbarre no espinho, essa se torna uma tarefa para a vida inteira. Se quiser passear no bosque, terá de podar os galhos para se assegurar de que o espinho não roçará em nenhum deles. Como costuma se virar na cama quando dorme, você terá que encontrar uma solução para isso também. Talvez até projete algo que funcione como um dispositivo de proteção. Se realmente investir muita energia nisso e encontrar uma solução que parece dar certo, talvez pense que resolveu seu problema. Você dirá: "Agora consigo dormir. Cheguei a ir à TV dar um depoimento. Todo mundo que tiver o mesmo problema do espinho poderá comprar meu dispositivo de proteção e eu vou até receber *royalties*."

Agora você construiu uma vida inteira em torno desse espinho e se orgulha disso. Você mantém o bosque podado e usa seu dispositivo na cama à noite. Mas então surge um novo problema: você se apaixona. Isso é um problema porque, em sua situação, até abraçar fica difícil. Ninguém pode tocá-lo, porque poderia esbarrar no espinho. Então você projeta outro dispositivo que permite que as pessoas se aproximem sem realmente se tocar. Por fim, decide que quer ter mobilidade total sem precisar mais se preocupar com o espinho. Então você cria um dispositivo que pode ser usado em tempo integral, que não tem que ser tirado à noite nem trocado na hora de realizar suas atividades cotidianas. Mas, como é pesado, você o equipa com rodinhas, controla-o com engrenagens hidráulicas e instala sensores de colisão. Na verdade, trata-se de uma invenção bem impressionante.

Foi necessário mudar as portas de casa para que o dispositivo de proteção passasse. Mas pelo menos agora você pode aproveitar a vida. Pode trabalhar, dormir e se aproximar das pessoas. E anuncia a todos: "Resolvi meu problema. Sou um ser livre. Posso ir aonde quiser. Posso fazer o que quiser. Esse espinho costumava controlar a minha vida. Agora ele não controla mais."

Porém a verdade é que o espinho domina completamente a sua vida. Ele afeta todas as suas decisões, inclusive aonde vai, com quem fica à vontade e quem fica à vontade com você. Ele determina onde você pode trabalhar, em que casa pode morar e em que tipo de cama pode dormir à noite. Levando tudo isso em conta, o espinho domina cada aspecto da sua vida.

Acaba que a vida que você leva para se proteger do problema se torna um reflexo perfeito dele. Você não resolveu nada. Ao não resolver a raiz do problema, e, em vez disso, tentar se proteger dele, ele acaba controlando a sua vida. Psicologicamente você fica tão fixado no problema que vê as árvores, mas não é capaz de enxergar a floresta. Na verdade, sente que, por ter minimizado a dor, você o resolveu. Mas nada está resolvido. Você apenas dedicou sua vida a evitá-lo. Agora ele é o centro do seu universo. É tudo o que há.

Para aplicar a analogia do espinho, usaremos a solidão como exemplo. Digamos que você tem uma sensação profunda de solidão interior. É tão profunda que à noite você tem dificuldade para dormir e, durante o dia, fica muito sensível e suscetível a pontadas no coração que provocam grande inquietação. Acha difícil se concentrar no trabalho e interagir com os outros no dia a dia. Pior ainda: quando está muito solitário, costuma ser dolorosamente difícil se aproximar das pessoas. Perceba que essa solidão é exatamente igual ao espinho. Provoca dor e inquietação em todos os aspectos da vida. Porém, no caso do coração humano, não temos apenas um espinho. Somos sensíveis à solidão, à rejeição, à nossa aparência física e à nossa capacidade intelectual. Andamos por aí com vários espinhos fincados exatamente na parte mais sensível do nosso coração. A qualquer momento, algo pode esbarrar neles e provocar dor.

Com esses espinhos interiores, você tem as mesmas duas opções que tinha em relação ao espinho no braço. Com certeza, a melhor alternativa seria retirar o espinho. Não há razão para você passar a vida protegendo-o para que nada esbarre nele, quando pode simplesmente removê-lo e ficar realmente livre dele. O mesmo acontece com os espinhos interiores: eles também podem ser removidos. No entanto, se você preferir ficar com eles, mas sem ser incomodado por sua presença, será preciso modificar toda a sua vida para evitar as situações capazes de agitá-los. Se você se sente solitário, precisa evitar lugares onde é comum haver casais. Se tem medo da rejeição, precisa evitar se aproximar demais das pessoas. Fazer tudo isso, entretanto, é o mesmo que podar o bosque. Você estará tentando ajustar a sua vida de modo a abrir espaço para os espinhos. No outro exemplo, os espinhos estavam no lado de fora. Agora eles estão no lado de dentro.

Quando se sente solitário, você se vê ponderando o que fazer a respeito da solidão. O que pode dizer ou fazer para não se sentir tão solitário? Observe que não está imaginando como se livrar do problema, mas como se proteger para não senti-lo. E faz isso evitando situações ou usando pessoas, lugares e coisas como escudos. Assim você vai acabar igual à pessoa do espinho. A solidão arruinará sua vida inteira. Você se casará com quem o levar a sentir-se menos solitário e achará que isso é normal e natural. Mas isso é exatamente o mesmo que faz a pessoa que evita a dor do espinho em vez de tirá-lo. Você não removeu a raiz da solidão. Só tentou se proteger para não senti-la. Se alguém morrer ou for embora, a solidão voltará a perturbá-lo. O problema estará de volta no instante em que a situação externa deixar de protegê-lo do que está dentro de você.

Se não remover o espinho, você acabará se tornando responsável tanto por ele quanto por tudo o que pôs à sua volta na tentativa de evitá-lo. Se tiver a sorte de encontrar alguém que consiga diminuir sua sensação de solidão, você vai começar a ter medo de não conseguir manter o relacionamento com essa pessoa e terá conseguido aumentar o problema ao tentar fugir dele. É exatamente o mesmo que usar aquele dispositivo para lidar com o desconforto do espinho: você ajusta toda a sua vida em função do incômodo. No minuto em que permite que o problema central continue ali, ele se expande e se torna múltiplos problemas. A ideia de simplesmente se livrar dele não lhe ocorre. Em vez disso, a única solução que você vê é evitar senti-lo. Agora você não tem opção senão passar a vida consertando tudo o que o afeta. Tem que se preocupar com a roupa que usa, com o modo como fala. Tem que se preocupar com o que os outros pensam de você, porque isso poderia levá-lo a sentir solidão ou falta de amor. Se alguém se sente atraído por você e isso alivia o problema, você gostaria de poder dizer: "Como preciso agir para agradá-lo? Posso ser o que você quiser. Só não quero mais passar por esses períodos de solidão."

Agora você tem o fardo de precisar se preocupar com o relacionamento. Isso cria uma experiência subjacente de tensão e desconforto e pode chegar a afetar seu sono à noite. No entanto, a verdade é que esse desconforto não é realmente o sentimento de solidão. São os pensamentos intermináveis do tipo: "Será que eu disse a coisa certa? Será que ela gosta mesmo de mim ou estou só me enganando?" Agora a raiz do problema está enterrada sob todas essas questões mais superficiais que servem para evitar as mais profundas. Tudo fica complicado. As pessoas então acabam usando os relacionamentos para esconder seus espinhos, segundo a ideia de que, se duas pessoas gostam uma da outra, espera-se que ajustem o próprio comportamento para não esbarrar nos pontos sensíveis do parceiro.

E é isto que fazem: deixam o medo dos espinhos interiores

afetar seu comportamento. Acabam limitando a vida, assim como quem convive com o espinho externo. Em última análise, quando há algo inquietante dentro de você, é preciso escolher. Você pode compensar a inquietação se voltando para o lado de fora na tentativa de não senti-la ou pode simplesmente remover o espinho e deixar de concentrar sua vida em torno dele.

Não duvide de sua capacidade de remover a raiz da inquietação dentro de você. Ela pode realmente ir embora. Você pode olhar fundo dentro de si, no centro do seu ser, e decidir que não quer que a sua parte mais fraca governe a sua vida. Você quer se livrar dela. Quer conversar com as outras pessoas porque as acha interessantes, não porque está solitário. Quer ter relacionamentos porque gosta genuinamente dos outros, não por precisar que eles gostem de você. Quer amar porque realmente ama, não porque precisa evitar seus problemas interiores.

Como se libertar? No sentido mais profundo, você se liberta encontrando-se. Você não é a dor que sente nem aquela parte de si que periodicamente se estressa. Nenhuma dessas inquietações tem a ver com você. Você é aquele que nota essas coisas. Como a sua consciência está separada disso tudo e percebe essas coisas, você pode se libertar. No caso de seus espinhos interiores, simplesmente pare de brincar com eles. Quanto mais esbarrar neles, mais os irritará. Como está sempre fazendo algo para evitar senti-los, eles não têm oportunidade de se resolverem sozinhos, naturalmente. Se quiser, você pode permitir que as inquietações venham à tona e pode desapegar delas, deixá-las para lá. Como são apenas energias bloqueadas do passado, seus espinhos interiores podem se liberar. O problema é que você evita completamente as situações que os fariam se liberar ou os empurra de volta para dentro tentando se proteger.

Suponha que você esteja em casa assistindo à TV. Está gostando do programa até que os dois personagens principais se apaixonam. De repente, você sente solidão, mas não há ninguém por perto para lhe dar atenção. O curioso é que você estava bem minutos atrás. Esse exemplo mostra que o espinho está sempre em seu coração, mas só é ativado quando algo esbarra nele. Você sente essa reação como um vazio ou uma vertigem dentro do coração. É muito desconfortável. Uma sensação de fraqueza o inunda e você começa a pensar em outras ocasiões em que ficou sozinho e em pessoas que o magoaram. A energia armazenada do passado é liberada do coração e gera pensamentos. Agora, em vez de estar curtindo a TV, você está solitário, preso numa onda de pensamentos e emoções.

O que fazer para resolver isso além de comer alguma coisa, ligar para alguém ou fazer algo que aquiete a sensação? Você pode perceber que a notou. Pode perceber que a sua consciência estava assistindo à TV e agora está assistindo a seu melodrama interior. Quem vê isso é você, o sujeito. O que você olha é um objeto. A sensação de vazio é um objeto; é algo que você sente. Mas quem sente? A saída é apenas perceber quem está notando. É realmente simples assim. É muito menos complexo do que o dispositivo protetor, com todos os seus rolamentos e engrenagens. Você só precisa perceber quem é que sente a solidão. Aquele que percebe já é livre. Se quiser se libertar dessas energias, é preciso permitir que elas passem por você em vez de escondê-las dentro de si.

Desde a sua infância existem energias aí dentro. Acorde e perceba que você está aí, acompanhado de uma pessoa sensível. Basta observar que essa sua parte sensível sente a inquietação. Veja-a sentir ciúmes, carência e medo. Esses sentimentos são apenas parte da natureza do ser humano. Se prestar atenção, você verá que eles não são você; são apenas algo que você sente e experimenta. Você é o ser que mora aí dentro e tem consciência de tudo isso. Se permanecer centrado, você poderá aprender a apreciar e respeitar mesmo as experiências difíceis.

Por exemplo, alguns dos mais belos poemas e canções vieram de pessoas atormentadas. A grande arte vem das profundezas do ser. É possível experimentar esses estados demasiado humanos durante muitos anos sem se perder neles nem resistir a eles. Você pode perceber que os nota e apenas observar como a experiência da solidão o afeta. Sua postura muda? Você respira mais devagar ou mais depressa? O que acontece quando a solidão recebe o espaço de que precisa para passar por você? Seja um explorador. Testemunhe, e ela irá embora. Se não se deixar absorver por ela, a experiência logo passará e outra coisa surgirá em seu lugar. Basta curtir tudo isso. Se for capaz disso, você será livre e um mundo de pura energia se abrirá dentro de você.

Quanto mais você ficar assentado no Eu, mais começará a sentir uma energia que nunca experimentou. Ela vem de trás, não da frente, do lugar onde você vivencia a mente e as emoções. Quando não estiver mais mergulhado em seu próprio melodrama, mas, pelo contrário, confortavelmente assentado no lugar da consciência, você vai começar a sentir, subindo lá do fundo, esse fluxo de energia que já foi chamado de *Shakti*, que já foi chamado de *Espírito*. Isso é o que você começa a experimentar quando passa seu tempo com o Eu, não com as suas inquietações interiores. Não é preciso se livrar da solidão; basta deixar de se envolver com ela. Ela é apenas mais uma coisa do universo, como carros, grama, estrelas. Não é da sua conta. Apenas desapegue de tudo. É isso o que o Eu faz. A consciência não briga; a consciência libera. Ela simplesmente percebe enquanto tudo no universo passa diante dela.

Se permanecer assentado no Eu, você vai experimentar a força de seu ser interior mesmo quando o coração se sentir fraco. Essa é a essência do caminho. Essa é a essência da vida espiritual. Depois de aprender que não há problema em sentir suas inquietações interiores e que elas não podem mais perturbar o lugar da consciência, você estará livre e começará a ser sustentado pelo fluxo de energia interior que vem lá de trás. Quando tiver experimentado o êxtase do fluxo interior, poderá passar pelo mundo, e o mundo nunca irá tocá-lo. É assim que se torna um ser livre: você transcende.

CAPÍTULO 10

Conquistando a liberdade da sua alma

O pré-requisito para a verdadeira liberdade é decidir que você não quer mais sofrer. É preciso tomar a decisão de que quer curtir a vida e de que não há razão para estresse, dor ou medo. Precisamos lidar com um fardo que não deveríamos carregar. Temos medo de fracassar ou de não ser bons o suficiente. Sentimos insegurança, ansiedade e timidez. Tememos que as pessoas nos ataquem, que se aproveitem de nós ou deixem de nos amar. Todas essas coisas nos sobrecarregam tremendamente. Enquanto tentamos ter relacionamentos francos e amorosos, alcançar o sucesso e nos expressar, carregamos um peso interior – o medo de sentir dor, angústia ou tristeza. Todo dia sentimos esse medo ou nos protegemos de senti-lo. É uma influência tão central em nossa vida que nem sequer percebemos quão predominante é.

Quanto Buda disse que toda a vida é sofrimento, era a isso que se referia. As pessoas não entendem como estão sofrendo por nunca terem vivido sem sofrer. Sob outro ângulo, imagine como seria se nem você nem ninguém que você conhece fosse saudável. Imagine que todos sempre tiveram doenças graves e tão agudas que mal conseguem sair da cama. Nesse mundo, não seria possível fazer nada longe do leito e ninguém conheceria nada diferente. Todos teriam que usar toda a energia apenas para arrastar o corpo e não haveria conceito nem compreensão do que é a saúde e a vitalidade.

É exatamente isso que acontece com as energias mentais e emocionais que formam sua psique. Suas suscetibilidades interiores o expõem à situação constante de sofrimento, num grau maior ou menor. Ou você está tentando interromper o sofrimento, controlando o ambiente para evitá-lo, ou se preocupando com sofrimentos futuros. Esse estado de coisas é tão presente que você não o vê, assim como o peixe não vê a água.

Você só percebe que está sofrendo quando sofre além do normal. Só admite que tem um problema quando ele fica tão grave que realmente começa a afetar seu comportamento no dia a dia. Mas, na verdade, você tem problemas constantes com sua psique. Para compreender essa questão, pense em seu relacionamento com a mente e com o corpo. Em situações normais e saudáveis, você não pensa no corpo. Simplesmente cumpre suas tarefas, anda por aí, dirige, trabalha e se diverte sem focá-lo. Você só pensa no corpo quando há algum problema. Por outro lado, você pensa em seu bem-estar psicológico o tempo todo. Constantemente passam pela sua cabeça coisas como "E se eu for chamado a falar? O que eu vou dizer? Fico muito nervoso quando não estou bem-preparado." Isso é sofrimento. Esse falatório interior constante, repleto de ansiedade, é uma forma de sofrimento: "Será que posso confiar nele? E se eu me expuser e ele se aproveitar de mim? Nunca mais quero passar por isso." Essa é a dor de ter que pensar em si o tempo todo.

Por que precisamos pensar em nós mesmos o tempo todo?

Por que tantos pensamentos sobre "eu", "mim", "meu"? Perceba com que frequência você pensa em como está se saindo, se gosta ou não das coisas e como reorganizar o mundo para agradar a si mesmo. Isso acontece porque você não está bem aí dentro e está constantemente tentando se sentir melhor. Se seu corpo não estivesse bem há muito tempo, você se veria pensando constantemente em como protegê-lo e em como fazê-lo se sentir melhor. É exatamente o que acontece com sua psique. A única razão para você pensar tanto em seu bem-estar psicológico é o fato de que há muito tempo ele não está nada bem. Na verdade, ele é bastante frágil. Praticamente qualquer coisa pode aborrecer a psique.

Para acabar com o sofrimento, primeiro você precisa se dar conta de que sua psique não está bem. Em seguida, é necessário reconhecer que não tem que ser assim. Ela pode ser saudável. Na verdade, perceber que você não precisa aturar nem proteger sua psique é uma dádiva. Não há razão para ficar remoendo constantemente o que disse ou o que pensam de você. Que tipo de vida você vai levar, se preocupando com coisas assim o tempo todo? Essa suscetibilidade, a sensibilidade interior, é um sintoma da falta de bem-estar. O mesmo acontece quando o corpo dá sinais de dor ou exibe outros sintomas. A dor não é ruim; ela é o modo como o corpo se comunica com você. Se você come demais, tem dor de barriga. Se coloca peso demais em seu braço, ele começa a doer. O corpo fala com sua linguagem universal: a dor. A psique se comunica com sua linguagem universal: o medo. Timidez, ciúme, insegurança, ansiedade – tudo isso é expressão do medo.

Quando você maltrata um animal, ele fica medroso. O mesmo aconteceu com a sua psique. Você a maltratou ao lhe atribuir uma responsabilidade incompreensível. Pare por um instante e veja o que tem dito à sua mente: "Quero que todos gostem de mim. Não quero que ninguém fale mal de mim. Quero que tudo o que eu disser e fizer seja aceitável e agradável para todo mundo. Não quero que ninguém me magoe. Não quero que aconteça nada que não gosto e quero que aconteça tudo o que gosto." Além disso tudo, ainda diz: "Agora, mente, descubra como transformar tudo isso em realidade, mesmo que tenha que pensar nisso dia e noite." E é claro que a mente responde: "Estou a postos! Trabalharei nisso constantemente."

Consegue imaginar alguém tentando fazer isso? A mente precisa conseguir que tudo o que você disser saia do jeito certo, seja entendido do jeito certo e cause o efeito certo em todos. Ela tem que se assegurar de que tudo o que você fizer seja interpretado e visto do jeito certo e que ninguém faça nada que o magoe. Tem que garantir que você consiga tudo o que quer e que jamais receba o que não quer. A mente está o tempo todo tentando lhe dar conselhos para que tudo dê certo e por isso é tão ativa: você lhe atribuiu uma tarefa impossível de cumprir. Isso equivale a esperar que seu corpo levante árvores e escale montanhas num único salto. Ele adoeceria se você continuasse tentando fazer o que ele é incapaz de fazer. Foi isso que abalou a psique. Os sinais de um corpo abalado são dor e fraqueza. Os sinais de uma psique abalada são o medo onipresente e o pensamento neurótico incessante.

Em algum momento, é necessário acordar e admitir que há um problema aí dentro. Basta observar e você vai ver que a sua mente está constantemente lhe dizendo o que fazer. Vá para cá, não para lá; diga isso, não aquilo. Vista isso, não vista aquilo. Isso nunca parou. Não era assim no ensino médio? Não era assim também no quinto e no segundo ano? Não foi sempre assim? Se preocupar constantemente consigo mesmo é uma forma de sofrimento. Mas como dar um jeito nisso? Como acabar com esse sofrimento?

A maioria das pessoas tenta resolver seus problemas interiores se tornando mais hábil nos mesmos jogos externos de sempre. Se tirarmos um retrato de nossos problemas íntimos, veremos que cada pessoa tem o que chamaremos de "o problema do dia" – o que mais lhe causa preocupação em qualquer momento dado. Quando o problema atual para de incomodar, o próximo surge, e quando esse já não incomoda mais, vem o seguinte. É disso que tratam seus pensamentos. Eles tendem a se concentrar no que o está incomodando hoje; são sobre o problema, sobre por que ele o incomoda e o que fazer para resolvê-lo. Se não fizer algo para acabar com isso, continuará sendo assim pelo resto da sua vida.

O que você vai ver é que sua mente está sempre lhe dizendo que você tem de mudar algo no lado de fora para resolver os problemas interiores. Mas, se for sensato o suficiente, você não vai entrar nesse jogo, pois terá percebido que os conselhos que sua mente lhe dá são psicologicamente nocivos. Os pensamentos da mente são afetados pelo medo que ela sente. Dentre todos os conselhos do mundo, aquele que não se deve escutar é o da mente perturbada. Ela, na verdade, o ilude. Suponha que ela lhe diga: "Ah, se eu conseguir aquela promoção, aí, sim, estarei bem. Vou me sentir bem comigo mesmo e conseguirei dar um jeito na vida." Você achou mesmo que isso era verdade? Depois de conseguir a tal promoção, toda a sua insegurança acabou e você ficou financeiramente satisfeito pelo resto da vida? É claro que não. O problema seguinte simplesmente veio à tona.

Ao ver isso, você percebe que a mente tem um grave problema. E o que ela faz é inventar situações externas que possam tornar as coisas mais confortáveis. Mas essas condições externas não são a causa do problema interior; são meras tentativas de resolvê-lo. Por exemplo, se você sente solidão e carência dentro do coração, não é porque não encontrou um relacionamento especial. Isso não causou o problema. O relacionamento, na verdade, é sua tentativa de resolvê-lo. Tudo o que você faz é tentar ver se um relacionamento é capaz de aliviar a inquietação interior. Se não der certo, você tentará outra coisa.

No entanto, mudanças externas não vão resolver seu problema, porque não atacam a raiz da questão: que é o fato de você não se sentir pleno e completo em si mesmo. Se não identificar adequadamente a raiz do problema, você vai buscar algo ou alguém para encobri-la. Vai se esconder atrás de dinheiro, pessoas, fama e a adoração. Se tentar encontrar o par perfeito para amá-lo e adorá-lo e por acaso conseguir, terá, na verdade, fracassado. Você não terá resolvido seu problema, mas apenas envolvido essa pessoa nele. É por isso que há tantas dificuldades nos relacionamentos. No começo, você tinha um problema dentro de si – que tentou resolver envolvendo-se com outra pessoa. Esse relacionamento vai enfrentar problemas, porque foram os seus problemas que causaram o relacionamento. Isso é muito fácil de ver se você recuar e ousar olhar a situação com sinceridade.

Agora que vimos como é o fracasso, vamos definir sucesso. O sucesso em relação à psique é comparável à saúde em relação ao corpo físico. Sucesso significa nunca mais ter que pensar sobre sua psique. Um corpo naturalmente saudável é aquele que faz o que precisa fazer enquanto você cuida da sua vida. Nunca é necessário pensar nele. Do mesmo modo, você nunca deveria ter que tentar descobrir como ficar bem, como não ter medo ou como se sentir amado. Você não deveria ter que dedicar sua vida à psique.

Imagine como a vida seria divertida se você não tivesse todos esses pensamentos neuróticos. Você poderia curtir as coisas e conhecer realmente as pessoas – em vez de apenas precisar delas. Poderia simplesmente viver e vivenciar as experiências em vez de tentar usar a vida para consertar o que está errado dentro de si. Você é capaz de alcançar esse estado. Nunca é tarde demais.

Seu relacionamento atual com sua psique é como um vício. Ela lhe faz exigências constantes e você dedicou sua vida a atendê-las. Se quiser ser livre, você vai ter que aprender a tratar esse vício como qualquer outro. Por exemplo, viciados em drogas são capazes de interromper o uso, passar pela crise de abstinência e nunca mais ter recaídas. Talvez não seja fácil, mas eles são capazes. O mesmo acontece com a psique. Você é capaz de cessar o comportamento absurdo de dar ouvidos aos problemas perpétuos de que ela lhe fala, de dar um fim nisso. Pode acordar de manhã, tomado de expectativa pelo dia sem se preocupar com o que acontecerá. Sua vida cotidiana pode ser como as férias. O trabalho pode ser divertido; a família pode ser divertida; você pode simplesmente apreciar tudo isso, o que não significa que não fará o melhor possível. Você só estará se divertindo ao fazer o melhor possível. E então, à noite, quando for dormir, poderá desapegar de tudo isso. Assim estará simplesmente vivendo a vida – sem ficar tenso nem preocupado com ela – em vez de temê-la ou lutar com ela.

É possível viver completamente livre dos medos da psique. Basta saber como. Vamos usar o hábito de fumar como exemplo. Não é difícil entender como parar de fumar. A palavra-chave é "parar". Realmente não importa quais adesivos ou outros métodos você use; no fim das contas, é preciso simplesmente parar. O modo de fazer isso é parando de pôr cigarros na boca. Todas as outras técnicas são apenas meios que parecem ajudar. Mas tudo o que você tem que fazer é parar de pôr cigarros na boca. Faça isso e é garantido que deixará de fumar.

Use a mesma técnica para sair de sua bagunça psicológica. Apenas pare de dizer à mente que o trabalho dela é consertar seus problemas pessoais. Essa tarefa abalou a mente e inquietou toda a sua psique. Criou medo, ansiedade e neurose. Sua mente tem pouquíssimo controle sobre o mundo. Não é onisciente nem onipotente, não pode controlar o clima nem outras forças da natureza. Também não pode controlar as pessoas, os lugares e as coisas à sua volta. Por isso, ao lhe pedir que manipulasse o mundo para resolver seus problemas pessoais, você atribuiu uma tarefa impossível à mente. Se quiser alcançar um estado saudável, pare de fazer essa exigência. Simplesmente libere a mente do serviço de se assegurar de que tudo e todos serão assim ou assado para que você se sinta melhor. Ela não está à altura de desempenhar bem essa função. Mude de atitude e, em vez disso, desapegue dos seus problemas pessoais, deixe-os para lá.

Você pode ter um relacionamento diferente com sua mente. Sempre que ela começar a lhe dizer o que deve ou não deve fazer para o mundo combinar com suas ideias preconcebidas, não lhe dê ouvidos. É o mesmo que se faz ao tentar parar de fumar. Seja o que for que a mente diga, você não põe um cigarro na boca. Não importa se é só depois do jantar. Não importa que vá ficar ansioso e esteja morrendo de vontade. Não importa a razão – sua mão simplesmente não toca mais em cigarro nenhum. Do mesmo modo, quando a mente começar a lhe dizer o que tem que fazer para que tudo fique bem dentro de você, não acredite. A verdade é que tudo ficará bem assim que você estiver bem com tudo. E essa é a única maneira de tudo estar bem.

Basta parar de esperar que a mente conserte o que está errado dentro de você. Esse é o ponto central, a raiz de tudo. Sua mente é inocente, não tem culpa de nada. Ela é apenas um computador, uma ferramenta que pode ser usada para ponderar grandes pensamentos, resolver problemas científicos e servir à humanidade. Mas você, perdido, lhe disse que dedicasse seu tempo a arrumar soluções externas para seus problemas interiores e muito pessoais. É você quem está tentando usar a mente analítica para se proteger do desenrolar natural da vida.

Quando observar a mente, você vai notar que ela está envolvida no processo de tentar fazer com que fique tudo bem. Lembre-se conscientemente de que não é isso que você quer fazer e então, suavemente, deixe isso para lá. Não lute. Nunca brigue com a sua mente, pois nunca será capaz de vencer. Ela vai derrotá-lo ou você vai reprimi-la – apenas para que ela volte a derrotá-lo mais tarde. Em vez de brigar com a mente, simplesmente não se envolva com ela. Quando perceber que está lhe dizendo como consertar o mundo e todos que estão nele para se adequarem a você, não lhe dê ouvidos.

O segredo é ficar em silêncio. Não é a sua mente que tem que ficar em silêncio, é você – aquele que está aí dentro observando a mente neurótica. Apenas relaxe. Então, naturalmente, você ficará atrás da mente, porque sempre esteve ali. Você não é a mente pensante; você está consciente dela. Você é a consciência que está por trás da mente e percebe os pensamentos. No minuto em que parar de se entregar de coração e alma à mente, como se ela fosse sua salvadora e protetora, você se verá por trás dela, observando-a. É assim que percebe seus pensamentos: você está aí dentro observando-os. Assim finalmente será capaz de simplesmente ficar aí, em silêncio, e observar a mente conscientemente.

Quando alcançar esse estado, seus problemas com a mente terão acabado. Quando recua para trás da mente, você, a consciência, não está mais envolvido no processo do pensamento. Pensar é algo que você observa a mente fazer. Você está simplesmente aí dentro, consciente de estar consciente. Você é o ser que o habita, a consciência. Não é preciso pensar: você é ela. Por isso é capaz de observar a mente sendo neurótica sem se envolver. Isso é tudo o que você tem que fazer para desligar a mente inquieta. A mente sai em disparada porque você lhe dá o poder de sua atenção. Retire a atenção e a mente pensante ficará para trás.

Comece com pequenas coisas. Por exemplo, alguém diz algo de que você não gosta ou, pior, não lhe dá a menor atenção. Você está andando e vê uma amiga. Diz oi, mas ela simplesmente continua andando. Você não sabe se ela não o ouviu ou se o ignorou. Não sabe se está zangada com você nem se está acontecendo alguma coisa. Sua mente sai a cem por hora. Esse é um bom momento para uma checagem da realidade. Há bilhões de pessoas no planeta e uma delas não lhe disse oi. Está me dizendo que não é capaz de lidar com esse fato? Isso lhe parece sensato?

Use essas pequenas coisas da vida cotidiana para se libertar. Nesse exemplo, você simplesmente escolhe não se envolver com a psique. Isso significa que você vai impedir que sua mente comece a girar incessantemente tentando descobrir o que está acontecendo? Não. Só significa que você está pronto e disposto a observar o pequeno melodrama criado por ela. Observe todo o ruído sobre como você está magoado, sobre como alguém pôde fazer isso. Observe a mente tentando descobrir o que fazer. Simplesmente se maravilhe com o fato de que tudo isso está acontecendo aí dentro só porque alguém não lhe disse oi. É realmente inacreditável. Basta observar a mente falar e continuar relaxando e liberando. Fique por trás do ruído.

Continue fazendo isso com todas as pequenas coisas que acontecem no dia a dia. Trata-se de algo muito íntimo, que você faz dentro de si. Logo verá que sua mente está tentando enlouquecê-lo o tempo todo a troco de nada. Se não quiser que seja assim, pare de dedicar energia a sua psique. É só isso. Ao seguir esse caminho, sua única ação será relaxar e liberar. Quando começar a ver essas coisas acontecendo aí dentro, relaxe os ombros, relaxe o coração e fique por trás de tudo isso. Não se envolva nem tente impedir. Simplesmente tenha consciência de que está vendo. Essa é a saída. Simplesmente desapegue e deixe para lá.

Comece essa jornada para a liberdade lembrando-se regularmente de observar a psique. Isso vai evitar que você se perca nela. Como o vício na mente pessoal é muito forte, é preciso estabelecer um método para se lembrar disso. Há algumas práticas muito simples de atenção que só levam um segundo, mas vão ajudá-lo a ficar centrado por trás da mente. Toda vez que entrar no carro ou no transporte coletivo, pare. Reserve um momento para se lembrar de que está girando num planeta, no meio do espaço vazio. Depois lembre-se de que não vai se envolver em seu próprio melodrama. Em outras palavras, desapegue do que estiver acontecendo naquele instante e lembre-se de que você não quer entrar no jogo da mente. Então, antes de sair do carro ou do ônibus, faça a mesma coisa. E, se realmente estiver motivado, faça isso também antes de pegar o telefone ou abrir a porta. Não é preciso mudar nada. Apenas esteja presente, percebendo que está consciente. É como fazer um inventário. Basta verificar o que está acontecendo com o coração, com a mente, com os ombros, etc. Crie gatilhos na vida cotidiana que o ajudem a se lembrar de quem você é e do que está acontecendo aí dentro.

Essas práticas criam momentos de consciência centrada e, mais cedo ou mais tarde, você estará centrado de forma persistente. A consciência permanentemente centrada é o assento do Eu. Nesse estado, você está sempre consciente de que está consciente. Não há momento em que não esteja totalmente consciente. Não há esforço. Não é preciso fazer nada. Você simplesmente está ali, consciente de que pensamentos e emoções são criados à sua volta enquanto o mundo se desenrola diante dos seus sentidos.

Em última análise, as mudanças em seu fluxo de energia – sejam inquietações da mente, sejam os movimentos do coração – vão lembrá-lo de que você está por trás de tudo, observando. O que antes o colocava para baixo se torna o que vai despertá-lo. Mas antes você tem que ficar em silêncio para não ser tão reativo. Esses gatilhos vão ajudá-lo a se lembrar de permanecer centrado. Por fim, o silêncio será suficiente para você simplesmente observar quando o coração começar a reagir e ser capaz de deixar tudo isso para lá antes mesmo que a mente comece sua ladainha. Em algum ponto da jornada, tudo se concentra no coração, não na mente. Você verá que a mente segue o coração, que reage muito antes de a mente começar a falar. Quando você está consciente, os movimentos da energia no coração lhe trazem a consciência instantânea de que você está lá atrás, percebendo tudo. A mente nem tem oportunidade de começar, porque você desapega no nível do coração.

Assim você estará no caminho. Aquilo que o prendia é agora a saída. Você tem que usar todas as energias em seu benefício. Esse caminho de desapego lhe permite liberar sua energia para que você possa se libertar. Bem no meio da vida cotidiana, ao se soltar das amarras da psique, você é capaz de conquistar a liberdade da sua alma, e essa liberdade é tão maravilhosa que recebeu um nome especial: a liberação.

CAPÍTULO 11

Dor, o preço da liberdade

Uma das exigências essenciais para o verdadeiro crescimento espiritual e a profunda transformação pessoal é fazer as pazes com a dor. Nenhuma expansão ou evolução pode ocorrer sem períodos de mudança, que nem sempre são confortáveis. A mudança pressupõe ousar colocar em questão o que nos é conhecido e nossa necessidade tradicional de segurança, conforto e controle. Essa experiência costuma ser percebida como dolorosa.

Familiarizar-se com essa dor faz parte do nosso crescimento. Embora talvez você não goste dessa sensação de inquietação interior, é preciso ser capaz de sentar-se em silêncio e encará-la de frente se quiser ver de onde ela vem. Quando conseguir olhá-la cara a cara, você vai perceber que há uma camada de dor profundamente instalada no centro de seu coração. E essa dor é tão desconfortável, tão desafiadora e tão destrutiva para o eu individual que toda a sua vida é dedicada a evitá-la. Toda a sua personalidade é construída sobre maneiras de ser, pensar, agir e acreditar desenvolvidas para evitar essa dor.

Como evitar a dor o impede de explorar a parte de seu ser que está além dessa camada, o crescimento real ocorre quando, finalmente, você decide encará-la. Como está no centro do coração, ela se irradia e afeta tudo o que você faz, mas não é como a dor física que recebemos como mensagens do corpo. A dor física só está lá quando há algo de errado em termos fisiológicos. Já a dor interior está sempre lá, por baixo, oculta pelas camadas de pensamentos e emoções. Nós a sentimos com mais força quando o coração entra em torvelinho, quando o mundo não atende a nossas expectativas. Essa é uma dor íntima e psicológica.

A psique é construída para evitá-la e, em consequência, tem como alicerce o medo da dor. Foi ele que gerou a existência da psique. Para entender como isso funciona, observe que, se o medo da rejeição for um grande problema para você, as experiências que causam rejeição lhe darão medo. Esse medo se tornará parte da sua psique. Embora os acontecimentos reais de rejeição sejam pouco frequentes, você terá que lidar com o medo da rejeição o tempo todo. É assim que criamos um medo que está sempre lá. Se você está fazendo algo para evitar a dor, ela comanda a sua vida e todos os seus pensamentos e sensações serão afetados pelo medo.

Você pode ver que qualquer padrão comportamental baseado em evitar a dor se torna um portal para a própria dor. Se você tem medo de ser rejeitado por alguém e abordar essa pessoa com a intenção de conquistar sua aceitação, estará sempre pisando em ovos. Ela só precisará lhe lançar um olhar torto ou dizer a coisa errada para você sentir a dor da rejeição. O resultado é que, como abordou a pessoa em nome da rejeição, você estará à beira dessa mesma rejeição ao longo de toda a interação. De um modo ou de outro, seus sentimentos farão o caminho de volta ao motivo por trás de suas ações. Suas ações estão vinculadas a evitar a dor, e você sentirá esse vínculo em seu coração.

É do coração que a dor vem. E é por isso que você sente tantas inquietações na vida cotidiana. Existe esse centro de dor no fundo do coração. As características da sua personalidade e seus padrões de comportamento servem para evitar essa dor, e você o faz preocupando-se com seu peso, usando determinadas roupas, falando de certo modo e escolhendo um penteado específico, por exemplo. Tudo o que faz envolve a intenção de evitar essa dor. Basta notar o que acontece quando alguém menciona seu peso ou critica suas roupas: você sente dor. Toda vez que faz algo em nome de evitar a dor, esse algo se torna um vínculo que guarda o potencial da mesma dor que você está tentando evitar.

Se não quer lidar com o centro da dor, é melhor que o que você faz para evitá-la funcione. Ao se esconder numa vida social movimentada, qualquer coisa que possa colocar sua autoestima em questão, como alguém não convidá-lo para um evento, o fará sentir essa dor. Digamos que você chame um amigo para ir ao cinema e ele diga que está ocupado. Algumas pessoas podem ficar magoadas com isso. Você sentirá dor se a razão para o convite foi evitá-la. Digamos que você vá ao quintal, chame seu cachorro, "Ei, Totó, vem cá!", e ele não venha. Se você chamou o Totó para lhe dar comida, bastará colocar a vasilha no chão e deixar que ele coma quando estiver com vontade. Mas se chamou o Totó porque teve um dia difícil e ele não veio, você sentirá dor. "Nem meu cachorro gosta de mim." Por que você haveria de sentir uma dor sincera só porque o cão não veio? Por que haveria dor se um amigo diz que vai fazer outra coisa e não pode ir ao cinema hoje? Como isso gera dor? É que lá no fundo está uma dor que você não processou. Sua tentativa de evitá-la criou camadas e mais camadas de suscetibilidade, todas ligadas àquela dor oculta.

De que maneira essas camadas se acumulam? Para evitar a dor da rejeição, você trabalha com afinco para manter as amizades. Como já viu que é possível ser rejeitado mesmo por amigos, você vai se esforçar cada vez mais para evitar que isso aconteça. E para ser bem-sucedido, precisará ter certeza de que tudo o que você fizer seja aceitável para os outros. Isso determina como você se veste e como age. Observe que assim você não se concentra mais na rejeição. Agora a questão são as roupas, seu jeito de andar. Você pôs mais uma camada sobre a dor principal. Se alguém lhe disser: "Nossa, achei que você podia comprar um carro melhor do que esse!", você sente uma reação perturbadora. Como isso pode causar dor? Qual é o problema de alguém dizer algo sobre seu carro? Na verdade, você tem que se perguntar o que causou essa reação em seu coração. Que sentimento é esse? Por que está acontecendo? Normalmente, ninguém pergunta por quê; todos simplesmente tentam evitar que aconteça.

É preciso ir mais fundo do que isso e examinar a dinâmica dessas camadas. No centro, há a dor. Então, para evitá-la, você tenta se ocupar com amigos e se refugiar em sua aceitação. Essa é a primeira camada. Depois, para assegurar a aceitação, você tenta se apresentar de determinado modo para conquistar mais amigos e influenciar pessoas. Essa é outra camada. Cada camada está presa à dor original. É por isso que simples interações cotidianas têm tanto poder de afetá-lo. Se a dor principal não fosse a motivação por trás da necessidade de se afirmar a cada dia, o que os outros dizem não o afetaria. Mas, como evitar essa dor é a razão pela qual você busca aceitação, há um potencial de dor em tudo o que lhe acontece. Então você acaba se tornando tão sensível que é incapaz de viver neste mundo sem se magoar. Não consegue sequer interagir com os outros nem cumprir atividades cotidianas normais sem que os acontecimentos afetem seu coração. Se observar com atenção, você verá que até as interações mais simples provocam algum grau de dor, insegurança ou inquietação.

Para se distanciar um pouco disso, é preciso olhar essa questão de outro ponto de vista. Saia numa noite estrelada e só olhe o céu. Você está num planeta girando no meio do absoluto nada. Embora só possa ver alguns milhares de estrelas, há centenas de bilhões delas só na Via Láctea. Na verdade, estima-se que haja mais de um trilhão de estrelas numa Galáxia Espiral. E se pudéssemos vê-la, essa galáxia pareceria uma única estrela. Você está numa bolinha de terra que gira em torno de uma estrela. Olhando dessa perspectiva, será que é realmente importante o que os outros pensam da sua roupa ou do seu carro? Você precisa mesmo se sentir tão envergonhado quando esquece o nome de alguém? Como deixa que coisas tão pequenas lhe causem dor? Se quiser sair disso, se quiser viver bem, é melhor não dedicar a vida a evitar a dor psicológica. É melhor não estar sempre preocupado em saber se os outros gostam de você ou se seu carro os impressiona. Que tipo de vida é essa? É uma vida de dor. Talvez você não pense que sente essa dor com tanta frequência, mas sente, sim. Passar a vida evitando a dor significa que ela sempre está a um passo. A qualquer momento você pode escorregar e dizer a coisa errada. A qualquer momento qualquer coisa pode acontecer. E você acaba devotando sua vida a evitar a dor.

Quando olhar para dentro e começar a aceitar isso, você vai ver que está de volta às mesmas duas opções básicas. Uma é deixar a dor lá dentro e continuar a lutar com as coisas do lado de fora. A outra é decidir que você não quer passar a vida inteira evitando a dor e prefere se livrar dela. Poucas pessoas ousam introjetar o processo desse modo. A maioria nem sequer percebe que está às voltas com bolsões de dor que precisam ser trabalhados. Você quer mesmo carregá-los dentro de si e ter que manipular o mundo para evitar senti-los? Como seria sua vida se não fosse dominada por essa dor? Você seria livre. Poderia andar pelo mundo completamente livre, se divertindo, à vontade com o que quer que aconteça. Você realmente pode ter uma vida cheia de experiências interessantes e apenas curti-las, sejam elas quais forem. Pode simplesmente levar a vida e sentir como é a experiência de estar num planeta girando no meio do nada até morrer.

Para viver com esse nível de liberdade, é preciso aprender a não ter medo da dor e da inquietação interior. Enquanto tiver medo da dor, você tentará se proteger dela. O medo o levará a isso. Se quiser ser livre, simplesmente veja a dor interior como uma mudança temporária em seu fluxo de energia. Não há razão para temer essa experiência. Você não deveria ter medo da rejeição, de como se sentiria se adoecesse, de que alguém morra nem de que algo dê errado. Não se pode passar a vida evitando coisas que não estão acontecendo, ou tudo ficará negativo. Você acabará vendo apenas o que potencialmente pode dar errado. Você tem ideia de quantas coisas podem provocar dor e inquietação interior? Provavelmente mais do que as estrelas do céu. Se quiser crescer e ser livre para explorar a vida, você não pode passá-la evitando a miríade de coisas que podem ferir sua mente ou seu coração.

É preciso olhar para dentro e determinar que, a partir de agora, a dor não é mais um problema. Ela é só mais uma coisa no universo. Alguém pode lhe dizer algo capaz de fazer seu coração reagir, mas isso passa. A experiência é temporária. A maioria das pessoas mal consegue imaginar como seria estar em paz com a inquietação interior. Mas, se não aprender a ficar à vontade com ela, você vai dedicar a vida a evitá-la. Quando se sente inseguro, isso é só um sentimento. Você consegue lidar com um sentimento. Quando se sente envergonhado, é só um sentimento. É apenas uma parte da criação. Quando sente ciúme e seu coração arde, basta olhar a situação com objetividade, como olharia um machucado leve. É apenas mais uma coisa do universo que passa pelo seu sistema. Ria dela, divirta-se com ela, mas não tenha medo. Ela não pode tocá-lo, a não ser que você a toque.

Vejamos uma tendência humana básica. Quando algo doloroso toca seu corpo, você instintivamente tende a recuar. Você faz isso até com cheiros e sabores desagradáveis. O fato é que sua psique faz a mesma coisa. Se algo inquietante entra em contato com ela, a tendência é se retrair, recuar, se proteger. Ela faz isso com a insegurança, com o ciúme e com qualquer outra dessas vibrações de que estamos falando. Em essência, você "se fecha", o que é simplesmente a tentativa de colocar um escudo ao redor da sua energia interior. Você pode sentir esse efeito como uma contração dentro do coração. Alguém diz algo desagradável e você sente uma inquietação no coração. Então sua mente começa a falar: "Não sou obrigado a aguentar isso. Vou me afastar e nunca mais falar com essa pessoa. Ela vai se arrepender." Seu coração está tentando se afastar do que está sentindo e se proteger para que não precise encarar esse sentimento outra vez. Você faz isso porque não consegue lidar com a dor que está sentindo. Enquanto isso continuar, você reagirá fechando-se para se proteger. Depois sua mente vai construir toda uma estrutura psicológica em torno dessa energia fechada. Seus pensamentos tentarão racionalizar que você está certo e a outra pessoa está errada, e buscarão descobrir o que você deve fazer a respeito.

Se você cair nessa, isso passará a fazer parte de você. Durante anos, a dor permanecerá aí dentro e acabará se tornando uma das partes constituintes da sua vida inteira, configurando suas reações, preferências e seus pensamentos futuros. Ao lidar com uma situação resistindo à dor que ela causa, você precisa ajustar seu comportamento e seus pensamentos para se proteger. Precisa fazer isso para que nada agrave o que guardou dentro de si sobre o incidente. Você acabará construindo toda uma estrutura de proteção em torno disso. Se tiver clareza para observar como isso acontece e compreender as consequências a longo prazo, você desejará se livrar dessa armadilha. Mas só estará livre quando chegar a um ponto em que esteja disposto a liberar a dor inicial em vez de evitá-la. É preciso aprender a transcender essa tendência a evitar a dor.

Seres sábios não querem permanecer escravos do medo da dor. Eles permitem que o mundo seja o que é em vez de terem medo dele. Participam integralmente da vida, mas não com o propósito de usá-la para evitar a si mesmos. Se a vida fizer algo que lhe cause inquietação interior, em vez de recuar, deixe que o sentimento passe por você como o vento. Afinal de contas, todos os dias acontecem coisas que nos perturbam. A qualquer momento você pode sentir frustração, raiva, medo, ciúme, insegurança ou vergonha. Se observar com atenção, verá que o coração tenta repelir tudo isso. Se quiser ser livre, você precisa aprender a parar de lutar contra esses sentimentos humanos.

Quando sentir dor, veja-a simplesmente como energia. Comece a encarar essas experiências interiores como energia passando através de seu coração e diante dos olhos da sua consciência. Depois relaxe. Faça o contrário de se contrair e se fechar. Relaxe e libere. Relaxe o coração até ficar frente a frente com o lugar exato onde dói. Permaneça aberto e receptivo, presente bem onde a tensão está. É preciso estar disposto a isso, em seguida relaxar e ir ainda mais fundo. Isso é crescimento e transformação profunda. Mas você não vai querer. Sentirá uma resistência enorme, e é isso que torna esse ato tão poderoso. À medida que relaxar e sentir a resistência, o coração tentará recuar, fechar-se, proteger-se e defender-se. Continue relaxando mesmo assim. Relaxe os ombros e o coração. Desapegue da dor e lhe dê espaço para passar por você. É só energia. Basta vê-la como energia e deixá-la para lá.

Se você se fechar em torno da dor e impedi-la de passar, ela ficará dentro de você. É por isso que nossa tendência natural a resistir é tão contraproducente. Se não quer a dor, por que se fechar em torno dela e armazená-la? Você acha mesmo que, se resistir, ela irá embora? Isso não é verdade. Se você se soltar e deixar a energia passar, ela irá embora. Se relaxar quando a dor aumentar dentro do seu coração e realmente ousar encará-la, ela passará. Cada vez que você relaxar e liberar, um pedaço da dor partirá para sempre. Mas toda vez que resistir e se fechar, a dor interior aumentará. É como represar um riacho. Depois você será forçado a usar a psique para criar uma camada de distância entre você, que experimenta a dor, e a dor em si. É apenas isto todo esse ruído dentro da sua mente: a tentativa de evitar a dor armazenada.

Se quiser ser livre, é preciso primeiro aceitar que há dor dentro do seu coração. Você a guardou ali e fez tudo que pôde para mantê-la ali, bem no fundo, para que nunca tivesse que senti-la. Há também uma imensidão de alegria, beleza, amor e paz dentro de você. Mas eles estão no outro lado da dor. No outro lado da dor está o êxtase. No outro lado está a liberdade. Sua verdadeira grandeza se esconde no outro lado daquela camada de dor. Você deve estar disposto a aceitar a dor para passar para o outro lado. Basta aceitar que ela está lá e que você vai senti-la. Aceite que, se relaxar, ela terá seu momento diante de sua consciência e passará. Sempre passará.

Às vezes você vai notar um calor no peito à medida que a dor passar. Na verdade, ao relaxar na energia da dor, você pode sentir um calor enorme no coração. É a dor sendo purificada. Aprenda a gostar dessa sensação. É o chamado fogo do yoga. Não será agradável, mas você aprenderá a apreciá-lo porque ele o está libertando. Na verdade, a dor é o preço da liberdade. E, no momento em que estiver disposto a pagar esse preço, você não terá mais medo. No momento em que não temer a dor, você será capaz de enfrentar todas as situações da vida sem medo.

Em certas circunstâncias você passará por experiências profundas que trarão à tona uma intensa dor interior. Se ela estiver aí dentro, mais cedo ou mais tarde aparecerá. Com um pouco de sabedoria, você a deixará em paz e não tentará mudar sua vida toda de forma a evitá-la. Simplesmente vai relaxar e lhe dar o espaço necessário para que se libere e purifique ao passar por você. Você não quer ficar com essa coisa dentro do seu coração. Para sentir amor e liberdade profundos, para encontrar a presença de Deus dentro de você, toda essa dor armazenada precisa sair. É nesse trabalho interior que a espiritualidade se torna realidade. O crescimento espiritual existe no momento em que você se dispõe conscientemente a pagar o preço da liberdade. É preciso estar disposto o tempo todo, em todas as circunstâncias, a permanecer consciente diante da dor e trabalhar com o coração, relaxando-o e mantendo-o aberto.

Lembre-se: quando se fecha em torno de alguma coisa, você fica psicologicamente sensível a essa questão pelo resto da vida. Como guardou a dor dentro de si, sentirá medo de que tudo aconteça outra vez. Mas, se relaxar em vez de se fechar, a dor abrirá caminho através de você. Se permanecer aberto, a energia bloqueada aí dentro será liberada naturalmente e você não vai mais armazená-la.

Esse é o ponto central do trabalho espiritual. Quando estiver à vontade com a passagem da dor, você estará livre. O mundo nunca mais será capaz de incomodá-lo, porque o pior que ele pode fazer é atingir a dor guardada dentro de você. Se não se importar com isso, se não tiver mais medo de si mesmo, você estará livre. Então será capaz de andar por aí mais vibrante e vivo do que nunca. Sentirá tudo num nível mais profundo. Começará a ter experiências verdadeiramente belas crescendo dentro de você. Finalmente você vai entender que há um oceano de amor por trás de todo esse medo e toda essa dor. Essa força vai sustentá-lo, vai alimentar seu coração lá do fundo. Com o tempo, você criará uma relação intensamente pessoal com essa bela força interior. Ela substituirá o modo como você lida com a dor e a inquietação interior atualmente. A partir desse momento, a paz e o amor serão os condutores da sua vida. Quando ultrapassar essa camada de dor, você finalmente estará livre das amarras da psique.

PARTE IV

Indo além

CAPÍTULO 12

Derrubando as paredes

Em algum ponto do seu crescimento, o silêncio dentro de você começará a aumentar. Isso acontece de maneira bastante natural quando você se assenta mais profundamente dentro de si. Você passará a perceber que, embora sempre tenha estado aí, estava completamente esmagado pela torrente constante de pensamentos, emoções e impulsos sensoriais que atrai a sua consciência. Ao ver isso, começará a entender que talvez seja mesmo capaz de ir além de todas essas inquietações. Quanto mais se colocar no lugar da consciência testemunha, mais ficará claro que, como você é completamente independente daquilo que observa, deve haver um modo de se libertar do domínio mágico que a psique exerce sobre a sua consciência. Tem que haver uma saída.

Essa descoberta interior da liberdade completa costuma ser descrita com uma palavra já desgastada pelo uso e, em geral, mal compreendida: "iluminação". O problema é que nossa visão do que seja a iluminação se baseia em experiências pessoais ou em nosso limitado entendimento conceitual. Como a maioria nunca teve experiências nesse terreno, a iluminação é completamente desacreditada ou considerada o estado místico supremo a que quase ninguém tem acesso. Seguramente, a única coisa que a maior parte das pessoas sabe sobre a iluminação é que, com certeza, não chegou lá.

No entanto, tendo a compreensão de que pensamentos, emoções e objetos sensoriais estão simplesmente passando diante da sua consciência, é sensato questionar se sua percepção precisa se limitar a essa experiência. E se a consciência tirasse o foco de seu conjunto pessoal de pensamentos, de seu conjunto pessoal de emoções e de suas limitadas informações sensoriais? Você se libertaria das amarras do eu pessoal para ir mais além? E como, exatamente, a consciência se prendeu ao eu pessoal, para começo de conversa? O problema de sequer tentar pensar nessas questões é que elas exigem uma discussão do que existe além dos limites da mente. E é muito difícil ter essa discussão a partir da estrutura mental que estamos tão acostumados a usar. Por essa razão, começaremos a explorar esse estado sem amarras por meio de uma alegoria. Assim como Platão usou o diálogo para fazer sua "alegoria da caverna" em 360 a.C., usaremos uma historinha para contar nossa alegoria de uma casa especial.

Imagine que você se encontrava no meio de um campo aberto onde o sol sempre brilhava. Era um lugar lindo e aberto, com muita luz. Era tão bonito que você decidiu que queria morar ali. Assim, comprou a terra e, bem no meio do enorme descampado, começou a projetar e construir pessoalmente a casa de seus sonhos. Fez alicerces sólidos porque queria que a casa fosse resistente e durasse muito tempo. Ergueu as paredes com blocos de concreto para não ter nenhum problema de apodrecimento ou vazamentos. Para que tudo fosse ecologicamente correto, decidiu ter pouquíssimas janelas e construir o telhado com beirais bem altos. Depois que assentou as janelas e a casa ficou pronta, você percebeu que ainda entrava muito calor. Então instalou nas janelas placas protetoras de alta qualidade, que, além de refletir a luz do sol e o calor, também podiam ser trancadas para dar mais segurança. Era uma casa muito grande, capaz de armazenar suprimentos suficientes para ser completamente autossuficiente. Você construiu até aposentos separados para a pessoa que ficaria responsável por manter a casa limpa e o deixaria em agradável solidão. E seria mesmo solidão, já que sua busca romântica incluía o compromisso de não ter telefone, rádio, televisão ou internet.

Finalmente a casa estava pronta, e você, muito empolgado por morar lá. Amava a vastidão do campo, toda a luz e a beleza da natureza. Mas, principalmente, você estava apaixonado pela casa. Pusera seu coração e sua alma em cada aspecto do projeto, e dava para ver: tudo ficou verdadeiramente "com a sua cara". Na verdade, com o tempo, entre a paixão pela casa e o desconforto crescente com tudo que via e os sons estranhos lá fora, você começou a passar mais tempo lá dentro. Foi então que percebeu que, com as janelas e portas totalmente trancadas, o lugar começou a parecer uma fortaleza. Mas, para você, estava tudo bem. Por sempre ter morado em centros urbanos, era bastante assustador viver tão longe, em total isolamento. Porém você estava decidido a ficar lá.

Então, aos poucos, se acostumou a viver em segurança dentro dos limites da casa. Dedicou-se alegremente a ler e escrever, como sempre quis. Na verdade, a casa era bastante confortável, com a temperatura totalmente controlada, e você foi inteligente o bastante para instalar um sistema de iluminação moderno com todo o espectro da luz solar. A ironia é que você achava sua casa tão agradável e segura que parou totalmente de pensar no lado de fora. Afinal de contas, o lado de dentro era conhecido, previsível e controlável. O lado de fora era desconhecido, imprevisível e completamente fora de controle. Essa sensação de santuário íntimo era sustentada pelo fato de que, quando fechadas, as janelas se fundiam perfeitamente às paredes, e você nem pensava em se arriscar a sair para destrancá-las. Eram tão bem-feitas que, quando a luz se apagava, a escuridão era absoluta, fosse dia ou noite. Mas, como estava acostumado a nunca apagar a luz, você só notou isso quando as lâmpadas começaram a queimar. Só então você percebeu que a situação era complicada: ninguém lhe deixara lâmpadas sobressalentes compatíveis com o novo sistema. Isso significava que, quando a última delas queimasse, você teria de tatear dentro de casa em total escuridão.

A partir desse momento, a única luz que havia era a das velas que você guardava para emergências. Mas eram poucas, portanto você as economizava. Por ser uma pessoa que amava a luz, foi muito difícil para você. Porém não o suficiente para forçá-lo a superar o medo de sair da segurança de sua casa. Finalmente, o estresse de viver nessa escuridão cobrou seu preço sobre sua saúde física e mental. Com o tempo, a própria lembrança do lindo campo ensolarado começou a sumir da sua mente para nunca mais voltar.

Você ficou muito preocupado em sempre manter a casa iluminada. A única luz que conhecia era a que você criava na escuridão com suas preciosas velas. Tudo ficou muito solitário. Você estava isolado de tudo, e seu único consolo era a proteção que a casa lhe dava. Você não sabia mais direito o que lhe provocava tanto medo; só sabia que estava sempre assustado e desconfortável. Era o máximo que conseguia fazer para não perder a cabeça. Você até parou de ler e escrever por causa da falta de luz. Ficou escuro e você começou a cair na escuridão.

Então, certo dia, a pessoa encarregada da faxina, que compartilhava da sua necessidade esmagadora de ficar em segurança dentro de casa, o chamou ao porão. Você se espantou com o que viu. Havia um suprimento completo de lanternas de emergência que podiam ser recarregadas manualmente. Algumas já estavam acesas, e o porão estava radiante. Foi um ponto de virada na sua vida.

Vocês se dedicaram a criar luz, beleza e felicidade dentro dos limites da casa. Decoraram cada cômodo e trabalharam juntos para manter a luz brilhando intensamente até a hora de dormir. Você voltou a ler e escrever e descobriu que a pessoa que o ajudava adorava ler seus escritos. Na verdade, não eram apenas as luzes artificiais que iluminavam a casa. O amor começou a brilhar no coração de vocês. Imagine só a luz que poderiam criar juntos em vez de separados. Vocês se tornaram inseparáveis e chegaram a encenar uma cerimônia de casamento. Foi lindo quando vocês prometeram cuidar um do outro e criar um lar de amor e luz. Comparado à escuridão em que você vivia antes, aquilo era um paraíso.

Certo dia, você encontrou um livro na biblioteca. Ele despertou seu interesse, falando da luz natural e radiante que existe "lá fora". Falava até em banhar-se naquela luz inimaginável, que ninguém precisava fazer nada para criar. Você ficou confuso. Afinal de contas, a única luz que conhecia era a luz artificial das velas e lanternas. Como criar tanta luz e mantê-la sempre acesa? Você não entendeu do que aquele livro falava porque só conseguia ver as coisas em relação ao modo como estava vivendo. Você vivia dentro da casa e, portanto, na escuridão. Toda a luz que podia vivenciar limitava-se à que conseguia criar lá dentro. Você viveu tanto tempo assim que todos os seus sonhos, esperanças, filosofias e crenças se baseavam em estar na escuridão. Seu mundo inteiro se resumia a manter a vida que conseguira construir para si dentro dos limites da casa.

Então esse livro aparentemente místico começou a descrever como era andar nessa luz natural. Parecia falar de uma luz onipresente e autoefulgente que brilha por toda parte ao mesmo tempo. Ela iluminava todas as coisas por igual. Embora você não tivesse referências para entender, isso o tocou no fundo do seu ser. Em seguida, o livro falava sobre ir "lá fora", isto é, além das paredes do mundo que você criara para si. Na verdade, dizia que, enquanto você estivesse apegado e apaixonado pelo mundo criado para evitar a escuridão, nunca conheceria a abundância de luz natural que há além dos limites da casa. Mas como você poderia sair, se dependia tanto do que construíra ali dentro?

A analogia da vida dentro dessa casa combina perfeitamente com a nossa difícil situação. Nossa consciência, nossa noção de ser, mora lá no fundo de nós, numa área artificialmente isolada que é absoluta. Tem quatro paredes, chão e teto. É tão sólida que nenhum raio de luz natural consegue penetrar nela. A única luz presente é a que conseguimos criar. Quando não criamos boas situações para nós, há apenas escuridão. Então ficamos ocupadíssimos, decorando a casa diariamente. Fazemos isso na tentativa de levar as coisas lá para dentro, na esperança de criar pelo menos um pouco de luz na casa construída por nós mesmos, onde nos fechamos.

Este é o aspecto visual: você está dentro de uma casa totalmente fechada, onde não entra luz natural, e ela fica no meio de um campo aberto cheio de luz brilhante. Mas de que ela é feita? De que são feitas as paredes? Como elas são capazes de vedar toda essa luz e mantê-lo trancado ali dentro? Sua casa é feita de seus pensamentos e emoções. As paredes são feitas da sua psique. Esse lugar compreende todas as suas experiências passadas, todos os seus pensamentos e emoções, todos os conceitos, pontos de vista, opiniões, crenças, esperanças e sonhos que você juntou à sua volta. Você os mantém no lugar em todos os lados, inclusive em cima e embaixo. Reuniu em sua mente um conjunto específico de pensamentos e emoções e depois os teceu para formar o mundo conceitual onde vive. Essa estrutura mental bloqueia completamente toda luz natural que está do lado de fora das paredes. Você tem paredes de pensamento tão grossas e fechadas que dentro delas só há escuridão. E está tão absorto em seus pensamentos e emoções que nunca vai além das fronteiras que eles criam.

Se quiser ver como suas paredes são restritivas, basta andar na direção delas. Digamos que você tenha muito medo de altura. Quando era pequeno, caiu de uma escada, e a impressão da queda ficou marcada em você. Essa é uma das suas paredes. Se duvida que seja uma parede, tente atravessá-la. Digamos que algo aconteça, ative aquele medo antigo e você decida andar diretamente na direção dele. Quanto mais perto chegar, mais vontade terá de recuar. Aquilo que guardou do passado forma uma fronteira que você, intuitivamente, quer evitar. Isso é natural, é o que fazemos com as paredes: evitamos dar de cara nelas. Mas, por essa mesma razão, elas o deixam trancado dentro de seu perímetro. Elas se tornam a sua prisão porque são as fronteiras da sua consciência. Como não quer se aproximar delas, você não pode ver o que está além.

Aproximar-se das barreiras dos seus pensamentos e emoções é como andar rumo a um abismo. Você não quer se aproximar desse lugar. Mas é possível ir até lá e, se quiser, você encontrará a saída. Assim vai enfim perceber que ali não há exatamente escuridão. O que há são paredes bloqueando a luz infinita. Quando estamos à procura de luz, essa distinção é fundamental. Se uma parede parece protegê-lo da escuridão sem fim, você não terá vontade de ir até lá. Mas se a parede estiver bloqueando a luz, você terá vontade de ir lá e derrubá-la. É comum dizer que é preciso passar pela noite mais escura para chegar à luz infinita. Porque aquilo que chamamos de escuridão é, na verdade, algo bloqueando a luz. É preciso atravessar essas paredes.

E não é tão difícil assim atravessá-las. Várias vezes ao dia, o fluxo natural da vida se choca com nossas paredes e tenta derrubá-las. Porém as defendemos todas as vezes. É preciso entender que, ao se defender, na verdade, você está defendendo as suas paredes. Não há nada além disso para defender aí dentro. Há apenas a consciência do ser e a casa limitada que você construiu para morar. O que está defendendo é a casa que você construiu para se proteger. Você se esconde dentro dela. Se algo acontece e desafia as paredes da psique, você logo fica na defensiva. Você construiu um conceito de si, se mudou lá para dentro e agora defende esse lar com unhas e dentes. Mas o que cria esse lar interior além das paredes dos seus pensamentos? Quando você diz "Sou uma mulher de 45 anos, casada com Joe, fui aluna do colégio tal...", isso são pensamentos. Essas situações reais não existem aí com você, a não ser sob a forma de pensamentos aos quais se agarra: "Mas fui atleta de basquete, presidente do grêmio estudantil no último ano." Isso foi 30 anos atrás. Essas situações não existem mais – estão apenas dentro de você e formam as paredes entre as quais você mora.

E se alguém desafiar seu conceito de si e abrir um pequeno furo nele? E se alguém conseguir abalar um desses pensamentos, desses alicerces sobre os quais a casa da sua psique foi construída? Imagine se lhe tivessem dito quando você tinha 20 anos: "Espere um instante. Esses não são seus pais. Você foi adotada. Eles nunca lhe contaram?" Você negará terminantemente até lhe mostrarem os documentos. Isso vai abalar todo o seu ser interior. Basta um único pensamento errado e a estrutura começa a desmoronar. Um medo enorme e uma agitação tremenda podem surgir dentro de você simplesmente porque algo não é do jeito que pensava que fosse. Isso abala até o âmago do seu ser porque questiona a casa de pensamentos em que você mora. Para consertar, você começa com racionalizações: "Sei que eles eram pessoas muito boas. Eram como se fossem meus pais de verdade. Imagine-os me adotando e me criando como se fosse deles. Meu Deus, eles eram ainda mais especiais do que eu pensava." Você remendou o buraco muito bem. É o que fazemos com nossas paredes: preservamos sua solidez. Não permitimos que nada as abale.

Note que você remendou a parede rachada com pensamentos. Você remendou com pensamentos algo que é feito de pensamentos. É o que fazemos. Assim como as pessoas que, assustadas, se trancaram dentro da casa escura no meio do campo ensolarado e depois lutaram para criar alguma luz, trabalhamos duro para construir um mundo dentro dos limites das nossas paredes interiores que seja melhor do que a escuridão interior. Enfeitamos as paredes com as lembranças de experiências passadas e com sonhos do futuro. Em outras palavras, as enfeitamos com pensamentos. Mas, assim como as pessoas da casa tinham o potencial de sair do mundo artificial que construíram e ir para a beleza da luz natural, você pode sair da sua casa de pensamentos e ir para o ilimitado. Sua consciência pode se expandir e englobar o espaço vasto em vez do espaço limitado onde você mora. Então, quando olhar para trás e avistar aquela casinha que construiu, você vai se perguntar por que ficou lá dentro.

Essa é sua jornada em direção à saída. A verdadeira liberdade está bem perto, no outro lado das suas paredes. A iluminação é algo muito especial. Mas, na verdade, não deveríamos nos concentrar nela. Em vez disso, concentre-se nas paredes que você mesmo criou e que bloqueiam a luz. De que adianta construir essas paredes e depois lutar pela iluminação? Você pode encontrar a saída simplesmente deixando a vida cotidiana derrubar as paredes que mantém à sua volta. Basta não participar da preservação, da manutenção e da defesa de sua fortaleza.

Imagine a sua casa de pensamentos no meio de um oceano de luz de um trilhão de estrelas. Imagine sua consciência presa na escuridão dela, lutando diariamente para viver com a luz artificial das suas experiências limitadas. Agora imagine as paredes desmoronando e a liberação da consciência, que se expande sem esforço no brilho do que é e sempre foi. Agora dê a essa experiência um nome: iluminação.

CAPÍTULO 13

Muito, muito além

Em última análise, a palavra "além" transmite o verdadeiro significado da espiritualidade. Em seu sentido mais básico, ir além significa passar do lugar onde você está. Significa não ficar no estado em que se encontra. Quando você vai constantemente além de si, não há mais limitações. Não há mais fronteiras. Limitações e fronteiras só existem nos lugares em que você deixa de ir além. Se não parar nunca, você irá além das fronteiras, além das limitações, além da noção de um eu limitado.

O além é infinito em todas as direções. Se você mirar um raio laser em qualquer direção, ele seguirá infinitamente. Ele só para de ir em direção ao infinito se você cria uma fronteira artificial que ele não pode penetrar. As fronteiras criam a aparência de finitude no espaço infinito. As coisas parecem finitas porque a sua percepção se choca com fronteiras mentais. Na verdade, tudo é infinito. É você quem pega o que seguiria para sempre e fala em um quilômetro a partir daqui. O que é um quilômetro a partir daqui? Não é nada senão um pedaço do infinito. Não há limites. Só há o universo infinito.

Para ir além, você precisa continuamente ultrapassar os limites que impõe às coisas. Isso exige mudanças no âmago do seu ser. Agora mesmo, você está usando a sua mente analítica para decompor o mundo em objetos individuais de pensamento. Em seguida vai usar a mesma mente para colocar esses pensamentos distintos numa relação definida de uns com os outros. Você faz isso para tentar sentir algo que se pareça com algum controle. Isso fica claro na tentativa constante de transformar o desconhecido em conhecido. Você diz a si mesmo: "Tomara que não chova amanhã! É meu dia de folga. Jennifer adora ficar ao ar livre e, com certeza, vai querer fazer uma caminhada comigo. Na verdade, se eu quiser outro dia de folga, Tom não se incomodaria de trocar comigo. Afinal de contas, já troquei com ele uma vez." Você já está com tudo resolvido. Sabe como as coisas devem ser – até o futuro. Seus pontos de vista, suas opiniões, suas preferências, seus conceitos, suas metas e suas crenças: tudo isso são formas de reduzir o universo infinito para o finito, onde você pode ter uma sensação de controle. Como a mente analítica não consegue lidar com o infinito, você cria uma realidade alternativa de pensamentos finitos que podem permanecer fixos dentro dela. Você pegou o todo, o decompôs em pedaços e escolheu um punhado desses pedaços para juntar de determinada forma em sua mente. Esse modelo mental se tornou a sua realidade. Agora é preciso se esforçar dia e noite para fazer o mundo se encaixar nele, e tudo o que não se encaixar você vai rotular como errado, ruim ou injusto.

Se acontece algo que coloque em questão seu modo de ver as coisas, você briga. Defende. Racionaliza. Fica frustrado e zangado por coisinhas à toa. Esse é o resultado da incapacidade de encaixar no seu modelo de realidade o que está realmente acontecendo. Se quiser ir além dele, será preciso assumir o risco de não acreditar nele. Se o seu modelo mental o está incomodando, é porque não consegue incorporar a realidade. Suas opções são resistir ou ir além dos seus limites.

Para ir verdadeiramente além do modelo, primeiro é preciso entender por que o construiu. O modo mais fácil de fazer isso é observar o que acontece quando ele não funciona. Você já construiu todo o seu mundo sobre um modelo de vida baseado no comportamento de outra pessoa ou na permanência de um relacionamento? Nesse caso, esse alicerce já foi puxado de sob seus pés? Alguém o abandona. Alguém morre. Algo dá errado. Algo abala seu modelo completamente. Quando isso acontece, toda a sua visão de quem você acredita que é – inclusive sua relação com tudo e todos à sua volta – começa a desmoronar. Você entra em pânico e faz tudo o que pode para mantê-lo intacto. Implora, luta e se esforça para impedir que seu mundo entre em colapso.

Depois de uma experiência dessas – e quase todo mundo as tem –, você percebe que o modelo que construiu é, na melhor das hipóteses, muito frágil. A coisa toda pode desmoronar num instante. O modelo inteiro e tudo o que servia de base para ele, inclusive a sua visão de si e de tudo o mais, começa a esfarelar. Essa é uma das mais importantes experiências de aprendizado da sua vida. Você fica frente a frente com o que o levou a construir o modelo e o nível de desconforto e desorientação é assustador. Você se esforça para recuperar algo que se pareça um pouco com sua percepção normal, porém, na verdade, o que está fazendo é tentando puxar o modelo mental de volta em torno de si para se instalar outra vez em seu ambiente mental familiar.

Mas não é necessário que todo o nosso mundo desmorone para podermos ver o que estamos fazendo dentro dele. Constantemente tentamos mantê-lo o mesmo. Se quiser realmente saber por que costuma fazer alguma coisa, deixe de fazê-la e veja o que acontece. Digamos que você fume. Ao decidir parar de fumar, você logo é confrontado com a ânsia que o leva a fumar – a razão pela qual fuma. Ela é a camada mais externa da causa. Se conseguir sentir essa ânsia sem fazer nada, você verá o que a causou. Se conseguir ficar à vontade com isso também, então você vai se deparar com a camada seguinte da causa, e assim por diante, camada a camada. Do mesmo modo, há uma razão para comer demais. Há uma razão para se vestir de determinado jeito. Há uma razão para tudo o que faz. Se quiser ver por que se importa tanto com o que veste e com o seu cabelo, tire um dia para fazer diferente. Acorde pela manhã, saia de casa descabelado e malvestido e veja o que acontece com a energia dentro de você. Veja o que acontece quando não faz as coisas que o deixam confortável. Assim você verá as razões por trás de cada uma delas.

Todo o tempo nos esforçamos para ficar dentro de nossa zona de conforto, para manter pessoas, lugares e coisas como o nosso modelo determina. Se eles começam a ir por um caminho inesperado, ficamos desconfortáveis. A mente então se ativa e diz como trazer as coisas de volta ao modo como precisamos que fiquem. No momento em que alguém começa a se comportar em desacordo com as suas expectativas, sua mente desanda a falar: "O que devo fazer com isso? Não posso simplesmente ignorar o que ele fez. Tenho que confrontá-lo diretamente ou pedir a alguém que fale com ele." Ela está lhe dizendo como consertar as coisas. E, na verdade, não importa o que você acabe fazendo; o importante é voltar à sua zona de conforto – que é finita. Todas as tentativas de ficar dentro dela o mantêm limitado, finito. Ir além sempre significa abandonar o esforço de manter tudo dentro dos limites que definimos.

Portanto, há duas maneiras de levar a vida: dedicar-se a permanecer na zona de conforto ou trabalhar para alcançar a liberdade. Em outras palavras, você pode dedicar a vida inteira a assegurar que tudo se encaixe em seu modelo limitado ou lutar para se libertar dos limites de seu modelo.

Para entender melhor, vamos ao zoológico. Imagine que você está passeando e se divertindo até que vê um tigre numa pequena jaula. Isso o leva a imaginar como seria passar o resto da vida em confinamento. A simples ideia lhe causa muito medo. Porém, os limites da sua zona de conforto, na verdade, criam uma jaula semelhante, que, em vez de limitar seu corpo, limita a expansão da sua consciência. Incapaz de sair da sua zona de conforto, você permanece fundamentalmente trancado em confinamento.

Se examinar bem, você vai ver que está disposto a ficar nessa jaula porque tem medo. Sua zona de conforto é familiar; além dela está o desconhecido. Imagine a pessoa mais paranoica que você já conheceu. Ela vive apavorada. A cada minuto da vida, acha que alguém está querendo feri-la. Se você lhe oferecer a jaula daquele tigre, talvez ela a aceite e não pense que está trancada, mas protegida contra tudo que poderia feri-la. O que você vê como prisão é, para ela, segurança. E se um serviço de proteção fosse à sua casa e trancasse todas as portas e selasse todas as janelas com você lá dentro? Sua reação seria entrar em pânico e querer sair ou agradecer por estar em segurança?

Esta última é a atitude mais comum para a maioria das pessoas quando se trata das limitações da psique. Queremos ficar lá dentro e nos sentir em segurança. Não dizemos: "Tirem-me daqui! Estou trancado neste mundo minúsculo em que tudo tem que ser de determinado jeito. Preciso me preocupar com tudo que os outros fazem, com minha aparência e com tudo o que eu já disse. Quero sair." Em vez disso, tentamos manter nossa jaula estável. Se algo não está confortável, fazemos o que for necessário para nos proteger e recuperar a sensação de segurança. Se você já fez isso, significa que ama a jaula da sua psique – quando a sacudiram, você a consertou para poder ficar confortável lá dentro.

Quando tem um verdadeiro despertar espiritual, você se dá conta de que está enjaulado. De repente acorda e percebe que mal consegue se mexer aí dentro e está o tempo todo se chocando com os limites da sua zona de conforto. Então vê que tem medo de dizer aos outros o que realmente pensa, que tem vergonha de se expressar com liberdade, que sente a necessidade de estar sempre no controle de tudo para se sentir bem.

Por quê? Na verdade, não há razão. Você mesmo se impôs esses limites. Quando não permanece dentro deles, você se sente apavorado, ferido, ameaçado. Essa é sua jaula. O tigre conhece os limites da jaula quando bate nas grades. Você conhece os limites da sua quando a psique começa a resistir – suas grades são a fronteira da sua zona de conforto e, no instante em que se aproxima delas, você sente.

Vamos examinar essa fronteira com um exemplo. Hoje em dia não precisamos mais de uma cerca para o cachorro não fugir, tudo agora é eletrônico. Basta enterrar alguns fios e pôr uma coleira no animal. O cachorro pensa: "Oba! Estou livre! Antes eu ficava dentro da cerca. Que ótimo!" E, é claro, sai correndo diretamente para onde não deveria ir e... zap! Pula para trás e late. O que aconteceu? Havia ali um limite invisível e, quando se aproximou, o cão recebeu um pequeno choque. Doeu. Foi tão incômodo que ele agora sente medo sempre que se aproxima dos limites do quintal. Perceba: a jaula não precisa parecer uma jaula. Pode ser uma prisão criada pelo medo do desconforto. Quando se aproxima do limite, você começa a ficar inseguro e se sentir desconfortável. Essas são as grades da sua jaula. Enquanto estiver dentro dela, não é possível saber o que há no outro lado. Essas são as fronteiras que fazem seu mundo parecer finito e temporal. O que é infinito e eterno está fora da jaula.

Ir além significa ir além dos limites dessa jaula que não deveria existir. A alma é infinita. E livre para se expandir em qualquer direção. É livre para experimentar a vida em sua plenitude. Mas isso só pode acontecer quando você se dispõe a encarar a realidade sem fronteiras mentais. Se ainda tiver barreiras – e saberá quais são ao esbarrar nelas no dia a dia –, você terá que ir além delas, senão permanecerá dentro da jaula. E lembre-se: enfeitar a jaula com belas experiências, lembranças queridas e grandes sonhos não é o mesmo que ir além. Não importa o nome que você dê aos seus limites, eles sempre são uma jaula. Você precisa estar disposto a ir além.

Todos os dias você esbarra nos limites da sua jaula. Quando isso acontece, você recua ou tenta obrigar as coisas a mudarem para poder continuar confortável. Na verdade, sua intenção é usar o brilho da sua mente para permanecer dentro da jaula. Dia e noite, você planeja como poderá permanecer dentro da sua zona de conforto. Às vezes nem consegue adormecer à noite, pensando no que é preciso fazer para não ter que sair da jaula: "O que posso fazer para ela nunca me abandonar? Como impedir que ela se interesse por outra pessoa?" Esses pensamentos são você tentando descobrir como se assegurar de que não vai esbarrar nas grades da sua jaula.

Voltemos ao cachorro. Ele vivia fugindo para dar uns passeios, e é triste o dia em que para de tentar sair do quintal. A única razão para desistir de tentar ir além de seu pequeno espaço é o medo dos limites. E se estivéssemos lidando com um cachorro muito corajoso e decidido a ser livre? Imagine que o animal não desistisse. Você o veria ali sentado, bem no lugar em que a coleira começa a vibrar, e ele não recuaria. A cada minuto, ele avançaria um pouquinho mais, para se acostumar com o campo de força. Se continuasse, acabaria conseguindo sair. Não existe a menor possibilidade de que ele não fosse capaz disso. Como é apenas um limite artificial, ele poderia atravessá-lo se aprendesse a suportar o incômodo. Só teria que estar pronto e disposto e ser capaz de tolerar o desconforto. A coleira não pode realmente machucá-lo; ela é somente desconfortável. Se ele estivesse mesmo disposto a ir além da própria zona de conforto, estaria livre para ir e vir à vontade.

Sua jaula é exatamente assim. Quando se aproxima dos limites, você sente insegurança, ciúme, medo ou vergonha. Recua e, se for como a maioria, desiste de tentar. A espiritualidade começa quando você decide nunca parar de tentar. É o compromisso de ir além, não importa o que aconteça numa jornada infinita. Basta ir além de si em todos os minutos de todos os dias pelo resto da sua vida. Se fizer isso, você estará sempre em seu limite e nunca voltará à zona de conforto. O ser espiritual sente que está sempre em contato com as próprias fronteiras, constantemente sendo levado a atravessá-las.

Por fim, você vai acabar percebendo que ir além dos seus limites psicológicos não pode machucá-lo. Caso esteja disposto a ficar sempre na fronteira e continuar andando, você irá além. Antes você recuava quando ficava desconfortável, agora relaxa e ultrapassa esse ponto. Isso é tudo o que é preciso para ir além. Vá além de onde estava um minuto atrás lidando com o que está acontecendo agora.

Você gostaria de ir além? De não sentir as fronteiras? Imagine uma zona de conforto tão expandida que o dia inteiro possa facilmente caber nela, aconteça o que acontecer. O dia se desenrola, e a mente não diz nada. Você simplesmente interage com tudo com o coração pacífico e totalmente inspirado. Se algo esbarrar em seus limites, a mente não se queixa. Tudo apenas passa. É assim que vivem os grandes seres. Quando, como um bom atleta, você está treinado a relaxar imediatamente quando entra em contato com seus limites, tudo isso acaba e você percebe que sempre estará bem. Nada mais pode incomodá-lo, a não ser suas fronteiras, mas agora você sabe o que fazer com elas e acaba passando a amá-las, pois elas lhe indicam o caminho da liberdade. Só é preciso relaxar constantemente e ir na direção delas. Então, um dia, quando menos esperar, você vai se encontrar no infinito – isso é o que significa ir além.

CAPÍTULO 14

Abra mão da falsa solidez

O interior da psique é um lugar muito complexo e sofisticado. É cheio de forças conflitantes em constante mudança devido a estímulos internos e externos. Isso resulta numa ampla variedade de necessidades, medos e desejos em períodos relativamente curtos de tempo. Por isso pouquíssimas pessoas têm clareza suficiente para entender o que está acontecendo dentro de si. Há muita coisa ao mesmo tempo e não dá para acompanhar as relações de causa e efeito entre todos os diversos pensamentos, emoções e níveis de energia. Então parece que estamos lutando apenas para manter a cabeça no lugar. Porém tudo continua mudando: estados de espírito, desejos, gostos, aversões, o que causa entusiasmo ou letargia. É uma tarefa de tempo integral manter a disciplina necessária para criar ao menos uma aparência de ordem e controle aí dentro.

Perdido e lutando com todas essas mudanças psicológicas e energéticas, você sofre. Embora talvez não pareça, em comparação com outras situações de grande sofrimento, você sofre. Na verdade, a simples responsabilidade de ter que manter a cabeça no lugar é, em si, uma forma de sofrimento. Isso fica claro quando as circunstâncias parecem desmoronar no lado de fora. A psique entra em torvelinho e você tem que lutar para manter seu mundo interior de pé. Mas a que exatamente você está tentando se agarrar? As únicas coisas que há aí dentro são pensamentos, emoções e movimentos de energia – e nada disso é sólido. Eles são como nuvens, simplesmente vêm e vão pelo vasto espaço interior. Mas você continua se agarrando a eles, como se a constância pudesse substituir a estabilidade. Os budistas têm um nome para isso: "apego". No final, o apego é a razão de ser da psique.

Para entender o apego, primeiro precisamos compreender quem se apega. À medida que for se aprofundando para dentro, você vai naturalmente perceber que há um aspecto de seu ser que está sempre lá e nunca muda. Essa é sua noção de percepção, sua consciência. É essa consciência que percebe seus pensamentos, experimenta o vaivém das emoções e recebe os dados de seus sentidos físicos. Essa é a raiz do Eu. Você não é seus pensamentos; você tem consciência deles. Você não é suas emoções; você as sente. Você não é seu corpo; você o vê no espelho e experimenta o mundo através de seus olhos e ouvidos. Você é o ser consciente que tem consciência de que percebe todas essas coisas internas e externas.

Se examinar a consciência, sua noção pura de percepção, você vai ver que, na verdade, ela não existe em nenhum ponto específico do espaço. Ela é um campo de percepção que foca um único ponto quando se concentra num conjunto específico de objetos. Você pode ter consciência de que sente apenas um dedo ou de que sente seu corpo inteiro de uma só vez. Pode se perder totalmente num único pensamento ou pode perceber, ao mesmo tempo, seus pensamentos, emoções, seu corpo e o ambiente. A consciência é um campo dinâmico de percepção que tem a capacidade de se concentrar intensamente ou de se expandir. Quando se concentra intensamente, a percepção perde a noção mais ampla de si. Ela não se experimenta mais como um campo de pura consciência e começa a se identificar com o objeto em que está concentrada. Como vimos, é o que acontece quando estamos tão absortos num filme que perdemos completamente a percepção mais ampla de estar num cinema frio e escuro. Nesse caso, deixamos de nos concentrar no corpo e no ambiente para nos concentrar no mundo do filme. Literalmente nos perdemos na experiência. Isso pode se estender para toda a sua experiência de vida. Sua noção de si é determinada pelo local onde você concentra sua consciência.

Mas o que determina onde você concentra sua consciência? No nível mais básico, qualquer coisa que atraia sua percepção ao se destacar do resto. Para entender essa questão, imagine que sua consciência esteja simplesmente observando o vasto espaço vazio interior. Agora imagine que por esse espaço esteja passando o fluxo suave de objetos aleatórios de pensamento: um gato, um cavalo, uma palavra, uma cor, um pensamento abstrato. Eles flutuam por um tempo em sua percepção. Agora permita que um desses objetos se destaque mais do que os outros. Ele chama sua atenção e atrai o foco de sua consciência. Você percebe imediatamente que, quanto mais se concentra nele, mais devagar ele se move, até que, afinal, caso se concentre bastante, ele para. A força da consciência acaba por manter o objeto estável apenas por haver se concentrado nele. Assim como o peixe consegue passar pela água, mas não pelo gelo – que é simplesmente água concentrada –, os padrões energéticos mentais e emocionais se tornam fixos quando encontram a consciência concentrada. O próprio ato de diferenciar a intensidade da percepção concentrada num objeto específico em comparação a outro cria apego. E o resultado do apego é que pensamentos e emoções seletivos ficam num mesmo lugar por tempo suficiente para se tornarem as partes constitutivas da psique.

Apegar-se é um dos atos mais primordiais. Como alguns objetos permanecem na consciência enquanto outros apenas passam, sua noção de percepção se identifica mais com eles. Você os utiliza como pontos fixos para criar uma sensação de orientação, relacionamento e segurança em meio à constante mudança interior. E essa necessidade de orientação se estende ao mundo exterior. Embora esteja apegado a objetos interiores, você os usa para se orientar e se relacionar com a miríade de objetos físicos que entram pelos seus sentidos – e em seguida cria pensamentos para unir todos esses objetos e se apega a toda a estrutura. Na verdade, você acaba se identificando tão intensamente com essa estrutura interior que constrói toda a sua noção de eu em torno dela. E assim fica apegado a ela, e ela permanece fixa. E, como permanece fixa, você se identifica com ela acima de tudo. Esse é o nascimento da psique. Em meio à expansão da mente vazia, ao se apegar aos objetos de pensamento que passam, você cria uma ilha de aparente solidez. E depois que esse pensamento se estabelece, você pode descansar a cabeça nele. Então, à medida que se apega a cada vez mais pensamentos, vai se construindo uma estrutura interna em que a consciência pode se concentrar. Quanto mais estreito é o foco nessa estrutura mental, maior a tendência a utilizá-la para definir o conceito de eu. Apegar-se cria os tijolos e a argamassa com que construímos uma imagem conceitual de nós mesmos. Em meio ao vasto espaço interior, usando apenas o vapor dos pensamentos, você cria uma estrutura de aparente solidez em que se apoiar.

    Quem é esse que está perdido, tentando construir um conceito de si para se encontrar? Essa pergunta representa a essência da espiritualidade. Você nunca vai se encontrar no que construiu para se definir, pois é aquele que está fazendo essa construção. Você pode montar a coleção mais extraordinária de pensamentos e emoções; pode construir uma estrutura verdadeiramente bela, inacreditável, interessante e dinâmica; mas, obviamente, ela não é você, pois você é o construtor. Você é aquele que estava perdido, assustado e confuso por não ter concentrado sua consciência na percepção do Eu e, em meio ao pânico, perdido, aprendeu a se apegar e se agarrar aos pensamentos e emoções que passavam diante de você. Assim os usou para construir uma personalidade, uma persona, um conceito de si que lhe permitisse definir quem você é. A consciência repousou sobre os objetos que estava percebendo e os chamou de lar. Com um modelo de quem você é, fica mais fácil saber como agir, como tomar decisões e como se relacionar com o mundo externo. Se ousar examinar essa questão, vai ver que está passando a vida inteira com base no modelo que construiu em torno de si.

Sejamos mais específicos. Você tenta manter em mente um conjunto coerente de pensamentos e conceitos como "Sou uma mulher". Sim, até isso é um pensamento ou um conceito mental. Você, que se agarra a isso, não é homem nem mulher. Você é a consciência que ouve o pensamento e vê um corpo de mulher no espelho, mas se apega muito a esses conceitos. E pensa: "Sou uma mulher, tenho tal idade e acredito numa filosofia, e não em outra." Você literalmente se define com base no que acredita: "Acredito em Deus ou não acredito em Deus. Acredito na paz e na não violência ou acredito na sobrevivência do mais apto. Acredito no capitalismo ou acredito no neossocialismo." Você pega um conjunto de pensamentos e se agarra a eles, criando com eles uma estrutura relacional extremamente complexa. Depois apresenta esse pacote como quem você é. Mas você não é isso. Esses são apenas os pensamentos que você reuniu à sua volta na tentativa de se definir – e fez isso porque está perdido dentro de si.

Basicamente, essa é uma tentativa de criar uma sensação de estabilidade e firmeza interior. Isso gera uma falsa, mas bem-vinda, sensação de segurança. Você quer que as pessoas à sua volta façam a mesma coisa. Quer que todos sejam estáveis de forma que você possa prever seu comportamento. Se não forem, isso o inquieta, porque suas previsões sobre o comportamento das outras pessoas fazem parte de seu modelo interior. Esse escudo protetor de crenças e conceitos relativos ao mundo exterior serve de isolamento entre você e as pessoas com quem interage. Como tem noções preconcebidas do comportamento dos demais, você se sente mais seguro e com um controle maior. Imagine o medo que sentiria se derrubasse esse muro. Quem você já permitiu que tivesse acesso direto a seu verdadeiro Eu interior sem a proteção desse filtro mental? Ninguém – nem mesmo você.

As pessoas simplesmente apresentam uma série de fachadas e chegam a admitir que uma é um pouco mais real do que outra. Você vai trabalhar e se perde em sua fachada profissional, mas então diz: "Vou para casa ficar com minha família e meus amigos, onde posso ser eu mesmo." Dessa forma, sua fachada profissional fica relegada ao fundo e sua fachada social e relaxada vem à tona. E você, que é quem sustenta a fachada? Desse ninguém chega perto. É assustador demais. Esse está muito lá no fundo e ninguém tem acesso a ele.

Portanto, todos nos apegamos e depois construímos uma imagem. Alguns são melhores nisso do que outros. Na maioria das sociedades, somos bem recompensados por sermos bons nisso. Ao construir esse modelo de forma absolutamente correta e se comportar com coerência todas as vezes, você realmente conseguiu "criar" alguém. E se esse alguém for o que os outros querem e esperam, você pode ser muito popular e bem-sucedido: você é aquela pessoa. Ela está arraigada em você desde muito cedo na vida e, se nunca se desviar dela, você pode se tornar muito bom nesse jogo de criar alguém. E, se a pessoa que criou não conquistar a popularidade e o sucesso que você esperava, é possível ajustar seus pensamentos de acordo. Não que isso seja algo errado. Todos fazem isso. Mas quem é você que faz isso? E por quê?

É importante notar que não cabe apenas a você decidir a que pensamentos se apegar e que tipo de pessoa criar. A sociedade tem um grande papel nisso. Em quase todos os aspectos da vida, há comportamentos socialmente aceitáveis ou não: como se sentar, como andar, como falar, como se vestir e como se sentir a respeito das coisas. Como nossa sociedade introduz em nós essas estruturas mentais e emocionais? Quando se sai bem, você é recompensado com abraços e louvores. Quando não se sai bem, você é punido física, mental ou emocionalmente.

Basta pensar em como você é gentil com os outros quando eles se comportam de acordo com as suas expectativas. Agora pense em como você se fecha e se afasta deles quando não o fazem – isso sem mencionar as circunstâncias em que fica zangado e chega a ser violento. O que você está fazendo? Está tentando mudar o comportamento do outro ao lhe deixar impressões na mente, está tentando alterar a coleção de crenças, pensamentos e emoções do outro para que, na próxima vez que ele agir, seja da maneira que você espera. Na verdade, todos fazemos isso uns com os outros todos os dias.

Por que deixamos que isso aconteça com a gente? Por que é tão importante que os outros aceitem a fachada que construímos? Tudo se resume a compreender por que nos apegamos a nossa autoimagem. Se parar de se apegar a ela, você vai entender por que a tendência ao apego estava lá. Se abandonar sua fachada e não tentar trocá-la por outra, seus pensamentos e emoções vão perder a base e começar a passar através de você. Será uma experiência muito assustadora. Lá no fundo, você vai sentir certo pânico e será incapaz de se encontrar. É o que as pessoas sentem quando algo muito importante no lado de fora não se encaixa em seu modelo interior. A fachada deixa de funcionar e começa a desmoronar. E quando ela já não pode mais proteger você, surgem o medo e o pânico. No entanto, você vai descobrir que, caso esteja disposto a encarar essa sensação de pânico, há um jeito de passar por ela. É possível recuar e se assentar na consciência que a está experimentando. Assim o pânico passa e uma grande paz, como você nunca sentiu, vem à tona.

Esta é a parte que pouca gente chega a conhecer: tudo isso pode parar. O ruído, o medo, a confusão, a mudança constante das energias interiores: tudo pode parar. Você pensava que tinha que se proteger e se agarrou às coisas que chegavam até você, usando-as para se esconder. Pegou tudo em que podia pôr as mãos e começou a se apegar para construir alguma solidez. Mas você pode se livrar disso tudo e não entrar nesse jogo. Basta correr o risco de desapegar e ousar encarar o medo que o levava a agir assim. Então você poderá atravessar essa parte de si, e tudo estará acabado. Nada de luta, apenas paz.

Essa é a jornada de seguir exatamente o caminho que você se esforçava para evitar. Quando tudo parece um turbilhão de pensamentos, a consciência é seu único repouso. Então você apenas terá consciência de que mudanças enormes estão ocorrendo. Terá consciência de que não há solidez alguma – e estará confortável com isso. Perceberá que cada momento de cada dia se desenrola e que você não tem controle nem qualquer ansiedade em relação a isso. Não terá conceitos, esperanças, sonhos, crenças nem segurança. Não estará mais construindo modelos mentais do que está acontecendo, mas a vida vai continuar mesmo assim. Você estará perfeitamente confortável na pura consciência disso. Este momento vem, depois o próximo, então o seguinte. Porém isso é realmente o que sempre aconteceu. Momento após momento sempre passa diante da sua consciência. A diferença é que agora você vê enquanto isso tudo acontece. Vê que suas emoções e sua mente reagem a esses momentos que passam e não faz nada para impedir. Não faz nada para controlar. Só deixa a vida se desenrolar, dentro e fora de você.

Ao embarcar nessa jornada, você vai chegar ao estado em que verá exatamente como os momentos que estão se desenrolando trazem a sensação do medo. Desse lugar de clareza, você será capaz de experimentar a forte tendência a se proteger, que existe porque, na verdade, você não tem nenhum controle sobre as coisas – e isso não é confortável. Mas, se realmente quiser superar o medo, terá que se dispor a apenas observá-lo sem se proteger dele. Terá que se dispor a ver que é dessa necessidade de se proteger que vem toda a sua personalidade. Ela foi criada a partir da estrutura mental e emocional construída para afastar essa sensação de medo. Agora você está frente a frente com a raiz da psique.

Se for fundo o bastante, poderá observar a psique sendo construída. Verá que você está no meio do nada, no espaço vazio infinito, e todos esses objetos internos fluem na sua direção. Pensamentos, sentimentos e impressões das experiências mundanas: tudo isso se derrama em sua consciência. Você vai ver claramente que a tendência é se proteger desse fluxo, colocando-o sob controle. Há uma tendência forte e esmagadora a se inclinar à frente e agarrar impressões seletivas de pessoas, lugares e coisas à medida que passam. Verá que, caso se concentre nessas imagens mentais, elas se tornam parte de uma estrutura complexa onde antes nada havia. Vai ver fatos que aconteceram quando você tinha 10 anos aos quais ainda se agarra. Verá que, literalmente, você pega todas as suas lembranças, as arruma de forma ordenada e diz que isso é o que você é. Mas você não é os acontecimentos; você é aquele que os experimentou. Como seria possível se definir pelas coisas que lhe aconteceram? Você já estava consciente da própria existência antes que elas acontecessem, pois é aquele que está aí dentro fazendo tudo, vendo tudo e experimentando tudo. Não precisa se apegar às experiências para se construir como pessoa, porque esse é um eu falso. É apenas um conceito de si atrás do qual você se esconde.

Há quanto tempo você está se escondendo aí, lutando para manter tudo no lugar? No momento em que algo dá errado no modelo que construiu à sua volta para se proteger, você fica na defensiva e tenta racionalizar para colocar tudo de volta em seu devido lugar. Sua mente não para de lutar até que você processe o acontecimento ou de algum modo se livre dele. Quando isso ocorre, as pessoas sentem que sua própria existência está em jogo e vão lutar com unhas e dentes até recuperarem o controle. Tudo isso porque tentamos construir solidez onde ela não existe e agora temos que brigar para mantê-la. O problema é que não há saída por esse caminho. Não há paz nem vitória nessa luta. Dizem que não devemos construir nossa casa sobre a areia: essa é a suprema areia. Na verdade, você construiu sua casa no vazio e, se continuar a se apegar a ela, será preciso se defender incessantemente e para sempre, tentando manter tudo e todos em ordem para reconciliar seu modelo conceitual com a realidade. É uma luta constante para mal mantê-la em pé.

Levar uma vida espiritual significa não participar dessa luta. Significa que os acontecimentos do momento pertencem ao momento, não a você. Eles não têm nada a ver com você. É necessário parar de se definir em relação a eles e apenas deixar que eles venham e passem. Não permita que deixem impressões em você. Quando, mais tarde, perceber que ainda está pensando neles, desapegue. Se algo não se encaixa em seu modelo conceitual e você sentir que está lutando e racionalizando para forçá-lo a se encaixar, basta notar o que está fazendo. Perceba que um acontecimento no universo não se encaixa em seu modelo e lhe causa inquietação. Ao fazer isso, você vai descobrir que o simples fato de ter consciência disso desconstrói o seu modelo e, a certa altura, passará a gostar disso, porque não quer mesmo mantê-lo. E isso é bom, porque não estará mais disposto a dedicar energia a construir e solidificar sua fachada. Em vez disso, você realmente vai começar a permitir que as coisas que desestabilizam seu modelo ajam como dinamite para demoli-lo – e assim vai poder se libertar. É isso que significa levar uma vida espiritual.

Quando se torna verdadeiramente espiritualizado, você passa a ser muito diferente de todo mundo. Aquilo que todos querem você não quer. Aquilo a que todos resistem, você aceita inteiramente. Você quer que seu modelo se desfaça e honra a experiência quando algo lhe causa inquietação. Por que alguma coisa que alguém diz ou faz o deixa inquieto? Você vive num planeta que gira no meio do absoluto nada. Está na Terra para uma visita de alguns anos e logo irá embora. Para que viver estressado com tudo? Não faça isso. Se algo provoca inquietação, é porque atingiu seu modelo, a parte falsa que você construiu para controlar sua própria definição de realidade. Mas se esse modelo fosse mesmo a realidade, por que a experiência não se encaixaria nela? Nada que você crie em sua mente poderá ser tomado como realidade.

É preciso aprender a estar à vontade com a inquietação psicológica. Se sua mente ficar hiperativa, apenas a observe. Se seu coração começar a apertar, deixe que o que tem que passar simplesmente passe. Tente encontrar a parte em você que é capaz de perceber que sua mente está hiperativa e que seu coração está apertado; ela é a saída, não seu modelo. O único caminho para a liberdade interior é através daquele que observa: o Eu, o Ser. O Eu simplesmente percebe que a mente e as emoções estão se desenrolando e que nada está lutando para mantê-las no lugar.

É claro que será doloroso. A razão pela qual você construiu toda a sua estrutura mental, para começo de conversa, foi a tentativa de evitar a dor. Se a deixar desmoronar, será preciso lidar com a dor que estava evitando ao construí-la. Você precisar estar disposto a encará-la. Se tivesse se trancado numa fortaleza por medo de sair, seria necessário enfrentar o medo se quisesse alcançar uma existência mais completa. Essa fortaleza não o protegeria; ela o aprisionaria. Para ser livre, para verdadeiramente viver a vida, você tem que sair. Tem que desapegar e passar pelo processo de purificação capaz de libertá-lo da sua psique. E isso é possível simplesmente observando a psique cumprindo o próprio papel. A saída é pela consciência. Pare de definir a mente inquieta como uma experiência negativa; apenas veja se consegue relaxar por trás dela. Não se pergunte "O que faço com isso?", mas: "Quem sou eu que está percebendo tudo isso?"

Com o tempo, você vai se dar conta de que o centro de onde observa a inquietação não pode ser perturbado. Se parecer o contrário, basta notar quem está percebendo essa inquietação. Mais cedo ou mais tarde, ela vai acabar passando. Então você será capaz de repousar nas profundezas de seu ser enquanto observa a mente e o coração criarem as últimas ondas do turbilhão. Nesse ponto, você entenderá o que significa a transcendência. A consciência transcende seus objetos e está tão separada deles quanto a luz daquilo que ela ilumina. Você é consciência e pode se libertar relaxando por trás disso tudo.

Se quiser alcançar paz, alegria e felicidade permanentes, você terá que passar para o outro lado do turbilhão interior. É possível levar uma vida em que ondas de amor vêm à tona sempre que você quer. Essa é a natureza do seu ser. Você só precisa ir para o outro lado da psique. E isso se faz abandonando a tendência a se apegar. Isso se faz deixando de usar a mente para construir uma falsa ideia de solidez. Basta decidir, de uma vez por todas, embarcar nessa jornada, desapegando de tudo.

Nesse momento, a jornada se torna rápida. Você vai atravessar a sua parte que sempre morreu de medo e verá que ela sempre lutou para manter tudo no lugar. Se deixar de alimentá-la, se apenas continuar desapegando, você vai acabar ficando por trás dessa falsa solidez. Isso não é algo que se faça; é algo que acontece com você.

Sua única saída é a testemunha. Basta continuar desapegando e percebendo que tem consciência. Se passar por um período de trevas ou depressão, apenas pergunte: "Quem tem consciência da escuridão?" É assim que se passa pelos diversos estágios de seu crescimento interior. Basta desapegar e continuar percebendo que você ainda está aí. Quando tiver desapegado da psique escura, da psique luminosa e de tudo o mais, você chegará a um ponto em que tudo se abrirá à sua frente. Você está acostumado a perceber as coisas à sua frente. Mas então perceberá um universo por trás do assento de sua consciência.

Parecia que não havia nada atrás de você. Por estar tão concentrado em construir seu modelo com os pensamentos e emoções que passavam à sua frente, você não havia percebido a vasta expansão do espaço interior. Lá atrás há todo um universo. Só que você não está olhando para lá. Se estiver disposto a desapegar, você vai ficar por trás de tudo e um oceano de energia se abrirá. Você ficará repleto de luz, de uma luz que não tem escuridão, com uma paz que ultrapassa toda compreensão. Então você passará por todos os momentos da vida cotidiana com o fluxo dessa força interior a sustentá-lo, alimentá-lo e guiá-lo desde o fundo. Ainda terá pensamentos, emoções e uma autoimagem flutuando no espaço interior, mas serão apenas uma pequena parte do que você experimenta. Você não se identificará com nada além do Eu.

Quando alcançar esse estado, você nunca mais precisará se preocupar com nada. As forças da criação vão criar a criação, tanto dentro quanto fora de você. Você flutuará em paz, amor e compaixão além de tudo – mas honrando cada momento. Não há necessidade de falsa solidez quando você está em paz com a expansão universal de seu verdadeiro Ser.

PARTE V

Vivendo a vida

CAPÍTULO 15

O caminho da felicidade incondicional

O caminho espiritual mais elevado é a vida em si. Se você sabe viver o dia a dia, tudo se torna uma experiência libertadora. Mas primeiro é preciso ter uma perspectiva adequada em relação à vida, ou tudo pode ficar confuso demais. Para começo de conversa, é preciso perceber que, na verdade, você só precisa fazer uma escolha na vida – que não tem nada a ver com qual carreira seguir, com quem se casar ou se quer ou não buscar Deus. As pessoas tendem a se sobrecarregar com escolhas em excesso. Mas, no fim das contas, você pode se livrar de todas elas e tomar uma decisão básica e fundamental: você quer ser feliz ou não quer? É simples assim. Depois de fazer essa escolha, seu caminho pela vida se torna completamente claro.

A maioria das pessoas não ousa se permitir fazer essa escolha por achar que a felicidade não está sob o seu controle. Alguém pode dizer algo como: "Bem, é claro que quero ser feliz, mas minha mulher me deixou." Em outras palavras, ele quer ser feliz, mas não se a esposa o largar. Porém não era essa a pergunta. A questão se limitava a: "Você quer ser feliz ou não quer?" Basta manter as coisas simples e você vai ver que isso está, sim, sob o seu controle. O problema é que você tem preferências muito arraigadas atrapalhando seu caminho.

Digamos que você tenha ficado perdido, passado dias sem comer, até que, finalmente, encontra uma casa. Mal consegue chegar à porta, mas dá um jeito de se arrastar até lá e bater. Alguém abre, olha você e diz: "Meu Deus! Coitadinho! Está com fome? O que gostaria de comer?" A verdade é que não importa. Você não quer nem pensar nisso e só murmura a palavra "comida". Você só precisa comer qualquer coisa, e isso não tem nada a ver com suas preferências mentais. O mesmo vale para a pergunta sobre felicidade. A pergunta é simplesmente: "Você quer ser feliz?" Se a resposta for mesmo sim, então diga, sem impor restrições. Afinal de contas, a pergunta na verdade é: "Você quer ser feliz deste momento em diante pelo resto da vida, aconteça o que acontecer?"

Agora, se disser que sim, pode acontecer que sua mulher o largue, que seu marido morra, que a bolsa despenque, que o carro enguice à noite na estrada. Essas coisas podem acontecer entre o momento presente e o fim da sua vida. Mas, se quiser trilhar o caminho espiritual mais elevado, quando responder sim a essa simples pergunta, é preciso falar a sério. Não há "e se" nem "mas". A questão não é se a felicidade está sob o seu controle. É claro que está. O problema é que você não fala realmente a sério quando diz estar disposto a permanecer feliz a partir de agora. Você quer impor restrições. Quer dizer que sim, quer ser feliz, desde que as coisas aconteçam assim ou assado. É por isso que a felicidade parece estar fora do seu controle. Qualquer condição limitará sua felicidade. Porém é simplesmente impossível controlar tudo e manter as coisas sempre do jeito que você quer.

É preciso dar uma resposta incondicional. Se decidir que vai ser feliz a partir de agora pelo resto da vida, além de feliz, você se tornará iluminado. A felicidade incondicional é a técnica mais elevada que existe. Não é preciso aprender sânscrito nem ler as escrituras. Não é preciso renunciar ao mundo. Você só tem que falar realmente a sério ao escolher ser feliz, aconteça o que acontecer. Esse é verdadeiramente o caminho espiritual mais direto e certeiro para o Despertar.

Ao decidir que quer ser incondicionalmente feliz, é inevitável se deparar com desafios. Essa prova do seu compromisso é exatamente o que estimula o seu crescimento espiritual. Na verdade, é o aspecto incondicional que faz desse caminho o mais elevado. É muito simples. Basta escolher se você vai quebrar seu voto ou não. Quando tudo vai bem, é fácil ser feliz. Porém, no momento em que algo difícil acontece, não é mais tão fácil. A tendência é se flagrar dizendo algo como: "Mas eu não sabia que isso ia acontecer. Não achei que perderia meu voo. Não achei que Sally apareceria na festa com um vestido igual ao meu. Não achei que alguém amassaria meu carro novinho em folha uma hora depois de sair da loja." Você está mesmo disposto a quebrar seu voto de felicidade por acontecimentos desse tipo?

Bilhões de coisas poderiam acontecer – coisas que você nem sequer cogitou. A questão não é se elas acontecerão. É claro que sim. A verdadeira pergunta é se você quer ser feliz, aconteça o que acontecer. O propósito da sua vida é curtir e aprender com as experiências. Você não foi posto na Terra para sofrer. E ficar infeliz não ajuda em nada. Sejam quais forem suas crenças filosóficas, elas não mudam o fato de que você nasceu e vai morrer. Nesse meio-tempo, pode escolher se quer ou não aproveitar a experiência. Os acontecimentos não determinam se você vai ser feliz ou não. Eles são apenas acontecimentos. Quem determina se vai ser feliz ou não é você. É possível ser feliz apenas por estar vivo. É possível ser feliz com tudo que lhe acontece e depois ser feliz por morrer. Se conseguir viver assim, seu coração será tão aberto, e seu Espírito, tão livre, que você voará alto até o céu.

Esse é o caminho que o leva à transcendência absoluta, porque qualquer parte do seu ser que esteja disposta a impor alguma condição a seu compromisso com a felicidade precisa deixar de existir. Se quiser mesmo ser feliz, é preciso abrir mão da sua parte que quer criar melodrama. Essa é a parte que pensa existir razões para não ser feliz. Você tem que transcender o pessoal e, quando o fizer, despertará naturalmente para os aspectos mais elevados do seu ser.

No fim das contas, curtir as experiências da vida é a única coisa racional a fazer. Você está num planeta girando no absoluto nada. Vamos, dê uma olhada na realidade. Você está flutuando no espaço vazio, num universo infinito. Já que tem que estar aqui, ao menos seja feliz e aproveite a experiência. Você vai morrer de qualquer jeito. As coisas vão acontecer de qualquer jeito. Por que não ser feliz? Não há o que ganhar se preocupando com os acontecimentos da vida. Isso não muda o mundo; você apenas sofre. Sempre haverá algo capaz de incomodá-lo, se você deixar.

Essa escolha de curtir a vida será seu guia através de sua jornada espiritual. Na verdade, ela é em si um mestre espiritual. O compromisso com a felicidade incondicional vai lhe ensinar tudo que há para aprender sobre si, sobre os outros e sobre a natureza da vida. Você aprenderá tudo sobre sua mente, seu coração e sua vontade. Mas é preciso falar a sério ao dizer que será feliz pelo resto da vida. Toda vez que uma parte sua começar a ficar infeliz, desapegue e livre-se dela. Trabalhe com isso. Use afirmações ou faça o que for necessário para se manter aberto. Com dedicação, nada poderá detê-lo. Aconteça o que acontecer, é possível escolher apreciar a experiência. Se o fizerem passar fome e o puserem na solitária, divirta-se sendo como Gandhi. Aconteça o que acontecer, aproveite a vida que vier até você.

Por mais difícil que pareça, qual é o benefício de fazer o contrário? Se for totalmente inocente e o prenderem, você ainda pode se divertir. Por que não se divertir? Isso não muda nada. No fim das contas, se permanecer feliz, quem sai ganhando é você. Faça disso seu jogo e se mantenha feliz, aconteça o que acontecer.

O segredo é muito simples. Comece entendendo sua energia interior. Se olhar para dentro, você vai ver que, quando está feliz, seu coração fica aberto e a energia sobe dentro de você. Quando não está feliz, seu coração se fecha e a energia não circula. Portanto, para permanecer feliz, basta não fechar seu coração. Aconteça o que acontecer, mesmo que sua mulher o abandone ou seu marido morra, não se feche.

Não há regra que diga que é preciso se fechar. Basta dizer a si mesmo que, aconteça o que acontecer, não vai se fechar. Você realmente tem essa opção. Quando começar a se fechar, pergunte-se se está mesmo disposto a abrir mão da sua felicidade. Dentro de você, que parte acredita que há algum benefício em se fechar? A menor coisa lhe acontece, e você abre mão da felicidade. Estava tendo um dia maravilhoso até que alguém o cortou no trânsito, a caminho do trabalho. Isso o deixou muito nervoso e você ficou desse jeito o resto do dia. Por quê? Ouse se fazer essa pergunta. Que bem adveio de deixar que aquilo arruinasse seu dia? Nenhum. Se alguém o cortar, deixe para lá. Desapegue e permaneça aberto. Se realmente quiser, você vai conseguir fazer isso.

Ao tomar esse caminho da felicidade incondicional, você passará por todos os estágios do yoga. Terá que permanecer consciente, centrado e comprometido o tempo todo. Precisará se concentrar num único ponto: seu compromisso de permanecer aberto e receptivo à vida. Permanecer aberto é o que os grandes santos e mestres ensinaram – e qualquer um é capaz disso. Eles ensinaram que Deus é alegria, Deus é êxtase e Deus é amor. Se permanecer suficientemente aberto, ondas de energia estimulante vão encher seu coração. As práticas espirituais não são um fim em si mesmas. Elas dão frutos quando você se aprofunda a ponto de permanecer aberto. Quando aprende a ficar aberto o tempo todo, grandes coisas acontecem com você. Basta aprender a não se fechar.

O segredo é aprender a manter a mente disciplinada o suficiente para que ela não o engane nem o faça pensar que dessa vez vale a pena se fechar. Se escorregar, levante-se. No minuto em que escorregar, no minuto em que abrir a boca, no minuto em que começar a se fechar e a ficar na defensiva, levante-se. Dê a volta por cima e afirme aí, dentro de si, que não quer se fechar, aconteça o que acontecer. Afirme que só quer estar em paz e aproveitar a vida. Você não quer que sua felicidade dependa do comportamento dos outros. Já é ruim o bastante que ela dependa do seu próprio comportamento. Se permitir que ela dependa do comportamento alheio, você estará muito encrencado.

Algumas coisas vão lhe acontecer e você sentirá a tendência a se fechar. Porém há a opção de ceder ou deixá-la para lá. Sua mente lhe dirá que não é sensato permanecer aberto quando essas coisas acontecem. Mas o tempo que lhe resta é limitado e o que é realmente insensato é deixar de curtir a vida.

Se for difícil se lembrar disso, medite. A meditação fortalece o centro de sua consciência, de modo que você possa estar sempre consciente a ponto de não permitir que seu coração se feche. Você permanece aberto simplesmente desapegando, deixando para lá e liberando a tendência a se fechar. Basta relaxar o coração quando ele começar a ficar apertado. Não é preciso estar radiante o tempo todo; basta cultivar a alegria interior. Em vez de reclamar, você estará apenas se divertindo com as diversas situações que estão se desdobrando.

A felicidade incondicional é um caminho e uma técnica elevada porque resolve tudo. Você pode aprender técnicas de yoga, como meditação e posturas, mas o que fazer com o resto da vida? A técnica da felicidade incondicional é ideal, porque o que você faz com o resto da vida já está definido: você abre mão de si mesmo e desapega para permanecer feliz. No que diz respeito à espiritualidade, você crescerá com muita rapidez. A pessoa que realmente faz isso em todos os momentos de todos os dias percebe a purificação do coração, porque não se envolve com as coisas que lhe acontecem. Ela também percebe a purificação da mente, pois não se envolve em seu melodrama. A *Shakti* dela (seu Espírito) vai despertar, mesmo que ela nunca tenha escutado falar nisso. E, assim, ela vai conhecer uma felicidade que está além da compreensão humana. Esse caminho resolve a vida cotidiana e a vida espiritual. A maior dádiva que se pode dar a Deus é estar contente com Sua criação.

Acha que Deus prefere ficar perto de gente feliz ou de gente infeliz? Não é difícil descobrir. Imagine que você é Deus. Você criou o céu e a terra para brincar e experimentar, e resolveu descer para dar uma olhada nos seus seres humanos. E pergunta ao primeiro ser humano que vê:

> *– E aí? Como vai você?*
> *– Como assim, como vou? – responde o ser humano.*
> *– Bem... Você gosta daqui?*
> *– Não, não gosto.*
> *– Por que não? O que há de errado?*
> *– Aquela árvore está torta em cinco lugares; quero que seja reta. Essa pessoa saiu com outro, aquela não pagou as trezentas pratas da conta de telefone. Essa tem um carro melhor do que o meu, aquela usa roupas esquisitas. É simplesmente terrível. Além disso, meu nariz é grande demais, minhas orelhas são pequenas demais, meus dedos são feios. Não estou satisfeito. Não gosto de nada disso.*
> *– Nem dos animais? O que acha deles? – você pergunta.*
> *– Os animais? As formigas e os mosquitos picam a gente; é horrível. Não posso sair à noite porque há todas essas criaturas por aí. Elas uivam e fazem cocô por toda parte. Não gosto nada disso.*

Acha que Deus gostaria de ficar ouvindo isso? "Você está pensando o quê? Que sou um balcão de reclamações?", você diria. Então decide conversar com outra pessoa. E pergunta:

– *E aí? Como vai você?*
– *Estou em êxtase – responde ela.*
– *Uau! – diz você. – E o que acha das coisas?*
– *São lindas. Tudo o que vejo cria ondas de alegria dentro de mim. Olho aquela árvore torta; fico maravilhado. A formiga vem e me pica. É espantoso que uma formiguinha minúscula tenha coragem de picar um gigante como eu!*

Agora adivinhe perto de quem Deus gostaria de ficar. Um dos antigos nomes de Deus na tradição do yoga é *Satchitananda* – Felicidade Eterna e Consciente. Deus é êxtase. Deus é o mais elevado. Se quiser estar perto de Deus, aprenda a estar alegre. Ao permanecer espontaneamente feliz e centrado, aconteça o que acontecer, você vai encontrar Deus. Essa é a parte mais incrível. Sim, você vai encontrar a felicidade, mas isso não é nada comparado ao que você realmente vai achar.

Quando você passa pela prova de fogo e fica completamente convencido de que vai desapegar e deixar para lá qualquer coisa que acontecer, os véus da mente e do coração caem. Você estará frente a frente com o que há além de si, porque não haverá mais necessidade de você. Quando terminar de brincar com o temporal e o finito, você vai se abrir para o eterno e o infinito. Então a palavra "alegria" não dará mais conta de descrever seu estado. É aí que entram palavras como êxtase, felicidade, liberação, Nirvana e liberdade. A alegria se torna esmagadora e sua taça transborda.

Esse é um lindo caminho. Seja feliz.

CAPÍTULO 16

O caminho espiritual da não resistência

Deveríamos ver o trabalho espiritual como aprender a viver sem estresse, problemas, medo nem melodrama. Na verdade, esse caminho de usar a vida para evoluir espiritualmente é o mais elevado de todos. Não há razão para tensão ou problemas. O estresse só surge quando resistimos aos acontecimentos da vida. Se não tentar repelir a vida nem puxá-la para si, não haverá resistência. Você simplesmente fica presente. Nesse estado, você apenas assiste aos acontecimentos da vida e os experimenta. Se escolher viver dessa maneira, verá que é possível passar a vida toda num estado de paz.

Que processo extraordinário é a vida, esse fluxo de átomos pelo tempo e pelo espaço! Uma sequência eterna de eventos que ocorrem e, instantaneamente, se dissolvem, dando lugar ao momento seguinte. Se resistir a essa força espantosa, a tensão vai se acumular dentro de você, penetrando em seu corpo, sua mente e seu coração espiritual.

Não é difícil notar a tendência ao estresse e à resistência no dia a dia. Mas, se quisermos entendê-la, primeiro temos que examinar por que resistimos tanto a deixar a vida ser como é. O que há dentro de nós que tem capacidade de resistir mesmo à realidade da vida? Olhando com atenção para dentro de si, você verá que é você, o Eu, o ser que habita, é ele que tem esse poder: o que chamamos força de vontade.

A vontade é uma força real que emana do seu ser. É ela que faz suas pernas e seus braços se moverem. Eles não se movem aleatoriamente por conta própria, e sim porque você impõe sua vontade de que o façam. Você usa a mesma vontade para se agarrar a pensamentos quando quer se concentrar neles. O poder do Eu, quando concentrado e direcionado para o campo físico, mental ou emocional, cria algo que chamamos de "vontade". É o que você usa quando tenta fazer as coisas acontecerem ou não. Você não está indefeso aí dentro e tem o poder de afetar as coisas.

É espantoso ver o que conseguimos fazer com nossa vontade. Na verdade, afirmamos nossa vontade em oposição ao fluxo da vida. Se acontece algo de que não gostamos, resistimos. Porém, o fato já ocorreu; de que adianta resistir? Se seu melhor amigo se muda para longe, é compreensível que você não goste. Mas sua resistência interior durante anos e anos não muda o fato de que ele verdadeiramente se mudou para longe, não altera em nada a realidade da situação.

O fato é que nem sequer podemos dizer que estamos resistindo à situação. Por exemplo, se alguém diz algo de que não gostamos, é óbvio que nossa resistência não fará com que a pessoa deixe de ter dito aquilo. Na verdade, resistimos a permitir que o acontecimento passe por nós. Não queremos que ele nos afete por dentro. Sabemos que ele deixará impressões mentais e emocionais que não vão se encaixar com o que já existe dentro de nós. Assim, impomos a força de vontade à influência do evento, tentando impedir que ele passe por nosso coração e nossa mente. Em outras palavras, a experiência do acontecimento não termina junto com nossa observação sensorial dele. O evento também precisa passar através da psique no nível energético. Esse é um processo que experimentamos todos os dias. A observação sensorial inicial toca nossos reservatórios de energia mental e emocional e faz com que ela se movimente. Esses movimentos passam pela psique como as ondulações que um impacto cria na água. O espantoso é termos realmente capacidade de resistir a eles. A afirmação da força de vontade é capaz de interromper a transferência de energia – e é isso que cria tensão. Podemos ficar esgotados lutando com a experiência de um único acontecimento ou mesmo de um único pensamento ou emoção. E você sabe disso muito bem.

Finalmente você vai passar a considerar essa resistência um enorme desperdício de energia. O fato é que, em geral, sua vontade é usada para resistir a algo que já aconteceu ou que ainda não aconteceu. Você está aí dentro, resistindo a impressões do passado ou a pensamentos sobre o futuro. Pense em quanta energia é desperdiçada resistindo ao que já aconteceu. O acontecimento já passou; então, na verdade, você está lutando consigo mesmo, não com ele. Agora volte sua atenção a quanta energia é desperdiçada resistindo ao que pode vir a acontecer. A maioria dessas coisas nunca acontecem, você está simplesmente jogando energia fora.

O modo como lidamos com nosso fluxo de energia tem um efeito importante sobre a nossa vida. Afirmar a vontade contra a energia de um acontecimento que já passou é como tentar deter as ondulações causadas por uma folha que cai num lago parado. Qualquer coisa que você faça está fadada a causar mais, não menos, inquietação. Quando resistimos, a energia não tem para onde ir. Ela fica presa na psique e nos afeta seriamente, bloqueando o fluxo do coração e fazendo você se sentir fechado e menos vibrante. É isso que literalmente acontece quando algo fica pesando na sua mente ou quando parece ser impossível lidar com alguma circunstância.

Essa é a difícil situação humana. Os acontecimentos já passaram e continuamos guardando sua energia dentro de nós quando resistimos a eles. Por isso não estamos preparados para enfrentar os eventos de hoje nem somos capazes de digeri-los, pois ainda estamos lutando com energias do passado. Com o tempo, elas podem se acumular até a pessoa ficar bloqueada a ponto de surtar ou se isolar completamente. É isso que significa ficar estressado ou mesmo totalmente esgotado.

Não há razão para se estressar. Não há razão para surtar nem para se isolar. Basta não deixar essa energia se acumular e permitir que cada momento do dia passe por você. Assim é possível se manter tranquilo momento a momento, como se você estivesse constantemente de férias. Não são os acontecimentos da vida que geram estresse, mas sua resistência a eles. Como o problema é causado pela tentativa de resistir à realidade que passa por você, a solução é bem óbvia: pare de resistir. Se vai resistir a alguma coisa, pelo menos tenha alguma base racional para isso. Senão vai desperdiçar irracionalmente uma energia preciosa.

Esteja disposto a examinar o que causa a resistência. Em primeiro lugar, você tem que decidir que algo não está do jeito que você gostaria. Muitos acontecimentos passam diretamente por você. Por que resistir especificamente a esse? Dentro de você deve haver um critério para decidir quando simplesmente deixar as coisas passarem e quando afirmar a força de vontade para repeli-las ou agarrar-se a elas. Um bilhão de situações não o incomodam em nada. Você vai para o trabalho todos os dias e mal nota os prédios e as árvores passando. As linhas marcando o asfalto não o estressam em nada. Você as vê, mas elas passam direto. No entanto, não suponha que seja assim com todo mundo. Alguém cuja profissão é pintar linhas nas ruas pode ficar muito estressado se elas não estiverem retas. Na verdade, pode ficar estressado a ponto de se recusar a passar de novo por ali. Não resistimos às mesmas coisas nem temos os mesmos problemas. Isso acontece porque cada um tem as próprias noções preconcebidas de como as coisas deveriam ser e qual é a importância delas.

Se quiser entender o estresse, comece percebendo que você carrega consigo suas próprias ideias preconcebidas de como as coisas deveriam ser. É com base nelas que você impõe sua vontade para resistir ao que já aconteceu. Mas de onde você as tirou? Digamos que ver azaleias em flor o deixe estressado. Com certeza isso não incomoda a maioria das pessoas. Por que incomoda você? Basta se dar conta de que certa vez você teve uma namorada que cultivava azaleias e que ela terminou com você quando os pés estavam florescendo. Agora, toda vez que vê azaleias em flor, seu coração se fecha. Você não quer sequer se aproximar delas por causa da inquietação que elas lhe causam.

Esses acontecimentos pessoais deixam na mente e no coração impressões que se tornam o critério segundo o qual você decide afirmar sua vontade para resistir ou se apegar. Não é mais profundo do que isso. Eles podem ter ocorrido na infância ou em momentos variados da vida. Não importa: deixaram impressões dentro de você. Com base nelas, você resiste a coisas que estão acontecendo agora. Isso cria tensão, luta e sofrimento interior. Em vez de perceber tudo isso e se recusar a permitir que o que já passou domine a sua vida, você cai na armadilha, acreditando que haja aí alguma importância real e lutando de coração e alma para resistir ou se apegar. Na verdade, todo esse processo não tem significado real nenhum e só está destruindo a sua vida.

A alternativa é usar a própria vida para se permitir desapegar dessas impressões e do estresse que elas criam. Para isso você precisa estar muito consciente e observar atentamente a voz mental que lhe ordena resistir a algo. Ela diz: "Não gostei do que ele disse. Dê um jeito de consertar." Ela o aconselha a enfrentar o mundo resistindo às coisas. Por que você lhe dá ouvidos? Deixe que seu caminho espiritual se torne a disposição a deixar o que quer que aconteça passar, em vez de levar esses acontecimentos para o momento seguinte. Isso não significa que você não vá lidar com as coisas. Fique à vontade para lidar com tudo, mas antes deixe que a energia passe por você. Caso contrário, você não estará lidando realmente com o acontecimento em questão, mas com suas próprias energias bloqueadas do passado. Não estará vendo as coisas de um lugar de clareza, mas de um lugar de resistência e tensão interior.

Para evitar isso, comece a lidar com cada situação com aceitação, o que significa permitir que os acontecimentos passem por você sem resistência. Quando algo ocorre e é capaz de passar pela sua psique, você é deixado frente a frente com a situação real. Ao lidar com o evento real – não com suas energias armazenadas que foram despertadas por ele –, você não afirma a energia reativa do passado. E assim poderá descobrir que é capaz de lidar muito melhor com as situações cotidianas. É realmente possível nunca mais ter problemas pelo resto da vida. Isso porque as situações não são problemas; elas apenas existem. Sua resistência a elas é que causa os problemas. Porém não pense que, por aceitar a realidade, você não lida com as coisas. Você lida, sim, com elas, mas como eventos que ocorrem no planeta Terra, não como problemas pessoais.

Você ficará surpreso ao descobrir que, na maioria das situações, só está lidando com seus próprios medos e desejos. Eles complicam tudo. Se não tiver medo nem desejo a respeito de um acontecimento, na verdade, não precisará lidar com nada. Você simplesmente permite que a vida se desenrole e interage com ela de maneira natural, racional e objetiva. Quando a situação seguinte surgir, você estará totalmente presente naquele momento, apenas apreciando a experiência da vida. Não haverá problemas. Nada de tensão, estresse ou esgotamento. Quando os acontecimentos do mundo o atravessam, você alcança um profundo estado espiritual e então consegue estar consciente na presença de qualquer fato, sem acumular energias bloqueadas. Tudo se torna claro. Enquanto isso, as outras pessoas estão tentando lidar com o mundo ao mesmo tempo que lutam com as próprias reações e preferências. Quando estamos lidando com nossos próprios medos, ansiedades e desejos, sobra pouca energia para lidar com o que está realmente acontecendo.

Pare e pense no que você é capaz de realizar. Até agora, seu potencial está limitado por lutas interiores constantes. Imagine o que aconteceria se sua consciência fosse livre para se concentrar apenas no que realmente está acontecendo. Você não teria todo esse ruído dentro de si. Se levasse a vida assim, você poderia fazer qualquer coisa, sua capacidade seria exponencial, em comparação com tudo o que você já viveu. Se pudesse levar esse nível de consciência e clareza a tudo o que faz, sua vida mudaria.

Assim, você adota o trabalho de usar a vida para desapegar e deixar toda a resistência para lá. Esse é o seu caminho. E os relacionamentos são ótimos para isso. Imagine se você os usasse para conhecer os outros, não para satisfazer o que está bloqueado dentro de você. Quando não estiver mais tentando fazer os outros se encaixarem em suas ideias preconcebidas do que você gosta ou não, descobrirá que os relacionamentos não são tão difíceis. Quando não estiver tão ocupado julgando e resistindo aos outros com base no que está bloqueado dentro de si mesmo, você vai descobrir que é muito mais fácil conviver com eles – e com você também. Desapegar e abrir mão de si mesmo é a maneira mais simples de se aproximar dos outros.

O mesmo vale para o trabalho do dia a dia. O trabalho diário é divertido. Na verdade, é fácil. Ele é apenas o que você faz durante o dia enquanto está girando num planeta pelo espaço vazio. Se quiser estar satisfeito e curtir seu trabalho, é preciso desapegar, abrir mão de si mesmo e permitir que os acontecimentos fluam através de você. Seu verdadeiro trabalho será o que resta a fazer depois que tudo o mais passar.

Quando as energias pessoais passam através de você, o mundo se torna um lugar diferente. As pessoas e os acontecimentos parecerão diferentes. Você vai perceber que tem talentos e capacidades que nunca notou. Toda a sua visão da vida mudará. Cada coisa deste mundo parecerá transformada. Isso porque, quando deixa uma situação para lá, isso afeta sua clareza em relação às outras situações. Por exemplo, digamos que você tem medo de cachorro e então percebe que outras pessoas não têm. Você sofreu a vida inteira com esse medo, mas os outros não. Esse sofrimento não tem sentido. Então você decide trabalhar com ele e relaxar na próxima vez que encontrar um cachorro. O modo de trabalhar com a resistência é relaxando. O próprio ato de relaxar no momento que sua resistência pessoal surge, além de mudar seu relacionamento com os cães, muda sua relação com tudo. Agora sua alma aprendeu a deixar as energias inquietantes passarem. Na próxima vez que alguém fizer ou disser algo de que não gosta, você vai automaticamente tratar isso da mesma maneira que o medo de cachorro. Esse processo de relaxar quando a resistência aparece funciona para tudo na vida porque oferece um modo de manter o coração aberto quando ele está tentando se fechar.

A liberação interior profunda é um caminho espiritual em si. É o caminho da não resistência, o caminho da aceitação, o caminho da entrega. É a não resistência às energias que passam por você. Se isso parecer difícil, não se coloque para baixo. Apenas continue tentando. Tornar-se aberto, completo e pleno é uma tarefa para a vida inteira.

O segredo é apenas relaxar, liberar e lidar apenas com o que sobrar à sua frente. Não é preciso se preocupar com o resto. Se relaxar e liberar, você vai ver que isso lhe traz um enorme crescimento espiritual. Você começará a sentir uma quantidade enorme de energia despertar dentro de si. Sentirá mais amor do que jamais sentiu. Sentirá mais paz e contentamento e, finalmente, nada voltará a perturbá-lo.

Você pode verdadeiramente alcançar um estado sem estresse, tensão ou problemas pelo resto da vida. Basta perceber que a vida está lhe dando um presente e que esse presente é o fluxo de acontecimentos que têm lugar entre seu nascimento e sua morte. São emocionantes, desafiadores e promovem um enorme amadurecimento. Para lidar confortavelmente com o fluxo da vida, seu coração e sua mente têm que estar abertos e expandidos a ponto de englobar toda a realidade. A única razão para não estarem assim ainda é sua resistência. Aprenda a parar de resistir à realidade, e o que costumava parecer um problema estressante vai parecer apenas o trampolim para sua jornada espiritual.

CAPÍTULO 17

Contemplando a morte

Um dos maiores paradoxos cósmicos é o fato de a morte ser um dos melhores mestres da vida. Nenhuma pessoa ou situação pode lhe ensinar tantas lições quanto a morte. Embora alguém possa lhe dizer que você não é seu corpo, a morte lhe mostra isso. Embora alguém possa lembrá-lo da insignificância das coisas a que você se apega, a morte leva tudo num segundo. Embora as pessoas possam lhe ensinar que homens e mulheres de todas as raças são iguais e que não há diferença entre ricos e pobres, a morte instantaneamente nos torna todos iguais.

A questão é: você vai esperar até o último momento para deixar que a morte seja o seu mestre? Sua mera possibilidade tem o poder de nos ensinar a qualquer momento. A pessoa sábia percebe que, a qualquer instante, pode expirar pela última vez. Pode acontecer a qualquer hora, em qualquer lugar, e lá se vai seu último suspiro. Você precisa aprender alguma coisa com isso. O sábio aceita total e completamente a realidade, a inevitabilidade e a imprevisibilidade da morte.

Sempre que algo parecer difícil, pense na morte. Digamos que você seja do tipo ciumento e não suporte que ninguém chegue perto da pessoa que você ama. Pense no que acontecerá quando você não estiver mais aqui. É realmente tão romântico assim que o ser amado viva sozinho, sem ninguém para cuidar dele? Se conseguir atravessar suas questões pessoais, você vai descobrir que quer que ele seja feliz e tenha uma vida bela e plena. Se é o que você quer, por que o importuna tanto agora só porque ele falou com alguém?

A morte não deveria ser necessária para desafiá-lo a viver da forma mais elevada possível. Por que esperar até que tudo lhe seja tirado para aprender a ir ao fundo de si mesmo e alcançar seu potencial mais elevado? O sábio afirma: "Se num piscar de olhos tudo isso pode mudar, então quero viver da forma mais elevada enquanto estiver vivo. Vou parar de incomodar as pessoas que amo. Vou viver do fundo do meu ser."

Essa é a consciência necessária para os relacionamentos profundos e significativos. Perceba como somos insensíveis com as pessoas que amamos. Partimos do pressuposto de que elas sempre estarão ali. E se morrerem? E se você morrer? E se você soubesse que essa será a última vez que irá encontrá-las? Imagine que um anjo desça e lhe diga: "Acerte suas contas. Você não despertará de seu sono amanhã e virá para mim." Então você saberia que seria a última vez que veria as pessoas que encontrasse naquele dia. Como se sentiria? Como seria sua interação com elas? Você daria atenção às pequenas queixas e ao ressentimento que vem carregando? Quanto amor poderia dar àqueles que ama se soubesse que seria a última vez que estaria com eles? Pense em como seria se você vivesse assim em todos os momentos. Sua vida seria muito diferente. Você deveria pensar nisso. Contemplar a morte não é um pensamento mórbido. Ela é o maior mestre da vida inteira.

Reserve um momento para olhar as coisas que você acha que precisa. Veja quanto tempo e energia dedica às suas várias atividades. Imagine se soubesse que vai morrer daqui a uma semana ou um mês. Como isso mudaria as coisas? Como suas prioridades mudariam? Como seus pensamentos mudariam? Pense francamente sobre o que faria com sua última semana. Que pensamento maravilhoso! Se é realmente isso que você faria com sua última semana, o que está fazendo com o restante de seu tempo? Você o está desperdiçando? Jogando fora? Tratando-o como se não fosse precioso? O que você está fazendo com a vida? É isso que a morte pergunta.

Digamos que você esteja levando a vida sem pensar na morte, e o Anjo de Morte apareça e diga: "Venha, está na hora." Você responde: "Nada disso. Você deveria ter me avisado antes para que eu decidisse o que queria fazer na minha última semana. Eu deveria ter mais uma semana." Sabe o que a Morte lhe diria? "Meu Deus! Eu lhe dei 52 semanas só este ano. E veja todas as outras semanas que lhe dei. Por que precisaria de mais uma? O que fez com todas essas?" Se lhe perguntassem isso, o que você diria? Como responderia? "Eu não estava prestando atenção... Achei que não tivesse importância." Isso é algo bem espantoso para dizer sobre a sua vida.

A morte é um grande mestre. Mas quem vive com esse nível de consciência? Não importa sua idade; a qualquer momento você pode dar o último suspiro e depois não respirar mais. Acontece o tempo todo, com bebês, adolescentes, pessoas na meia-idade, não é só com os idosos. Um suspiro e já era. Ninguém pode saber quando será sua hora. Não é assim que funciona.

Então por que não ser ousado e refletir regularmente sobre como você viveria aquela última semana? Se fizesse essa pergunta a pessoas verdadeiramente iluminadas, elas não teriam nenhum problema em lhe responder: nada mudaria dentro delas. Nenhum pensamento cruzaria a mente delas. Se a morte chegasse daqui a uma hora, daqui a uma semana ou daqui a um ano – elas viveriam exatamente do mesmo jeito que estão vivendo agora. Em seu coração, não há uma única coisa que prefeririam fazer diferente. Em outras palavras, elas vivem intensamente e não fazem concessões nem joguinhos consigo mesmas.

Você precisa estar disposto a pensar como seria se a morte o olhasse cara a cara. E em seguida tem que estar em paz dentro de si para que a iminência da morte não faça nenhuma diferença. Conta-se que um grande iogue dizia que levava a vida como se uma espada estivesse pendurada acima de sua cabeça por uma teia de aranha. Ele viveu com a consciência de que estava muito perto da morte. Você está perto da morte. Toda vez que entra no carro, toda vez que atravessa a rua, toda vez que come alguma coisa, pode ser a última. A qualquer momento, o que você faz é algo que alguém estava fazendo na hora em que morreu. "Ele morreu jantando... Ele morreu num acidente de carro a três quilômetros de casa... Ela morreu num desastre de avião numa viagem a Nova York... Ele foi dormir e não acordou..." Não importa o que estiver fazendo, pode ter certeza de que alguém morreu assim.

Você não deve ter medo de falar sobre a morte. Não fique nervoso com o assunto. Em vez disso, deixe que esse conhecimento o ajude a viver intensamente cada momento de sua vida, porque cada momento importa. É isso que acontece quando alguém sabe que só lhe resta uma semana de vida. Pode ter certeza de que essa pessoa lhe diria que essa foi a semana mais importante que viveu. Tudo é um milhão de vezes mais significativo na última semana de vida. E se você vivesse todas as semanas dessa maneira?

Neste momento, você deveria se perguntar por que não está vivendo assim. Você vai morrer e sabe disso. Só não sabe quando. Todas as coisas lhe serão tiradas. Você deixará para trás suas posses, as pessoas que ama, todas as esperanças e todos os sonhos desta vida. Será levado bem aí onde estiver. Não será mais capaz de representar os papéis com que tanto se ocupa. A morte muda tudo num instante. Essa é a realidade. Se todas essas coisas podem mudar tão rápido, talvez não sejam tão reais, afinal de contas. Talvez seja melhor verificar quem você verdadeiramente é. Talvez deva olhar mais fundo.

A beleza de adotar verdades profundas é que você não precisa mudar a sua vida, apenas o modo como vive. Não se trata do que você está fazendo, mas quão dedicado é. Vejamos um exemplo muito simples. Você andou ao ar livre milhares de vezes, mas quantas delas realmente apreciou? Imagine alguém num leito de hospital que acaba de saber que só tem uma semana de vida. Essa pessoa ergue os olhos para o médico e diz: "Posso dar uma volta lá fora? Posso olhar o céu só mais uma vez?" Se estiver chovendo, essa pessoa vai querer sentir a chuva só mais uma vez. Para ela, essa seria a coisa mais preciosa. Mas você não quer sentir a chuva. Você está preocupado em não se molhar.

O que é isso que não nos permite viver a vida? O que há dentro de nós que tem tanto medo que nos impede de simplesmente curtir a vida? Essa parte de nós está tão ocupada tentando se assegurar de que a próxima coisa dê certo que não conseguimos simplesmente estar aqui e agora, vivendo. O tempo todo a morte observa nossos passos. Você não quer viver antes que a morte chegue? Provavelmente não haverá avisos. Pouquíssimas pessoas são avisadas de quando vão morrer. Quase todo mundo dá o último suspiro e não sabe que não respirou de novo.

Portanto, comece a usar cada dia para se livrar dessa parte medrosa que não lhe permite viver plenamente. Como você sabe que vai morrer, esteja disposto a dizer o que precisa ser dito e fazer o que precisa ser feito. Esteja disposto a ficar totalmente presente, sem medo do que vai acontecer no momento seguinte. É assim que as pessoas vivem quando sê veem frente a frente com a morte. Você também deveria viver assim, porque está frente a frente com a morte a todo momento.

Aprenda a viver o tempo todo como se a morte fosse iminente, e você se tornará mais ousado e aberto. Se viver intensamente, não terá nenhum último desejo. Terá vivido seu desejo em todos os momentos. Só então você terá vivido plenamente e se liberado daquela parte que tem medo de viver. Não há razão para isso. E o medo irá embora assim que você entender que a única coisa que tem a ganhar com a vida é o crescimento que ela lhe traz. A própria vida é a sua carreira, e sua interação com ela é seu relacionamento mais significativo. Todo o resto que você faz se concentra apenas num minúsculo subconjunto da vida, na tentativa de dar algum significado à existência. Mas o que realmente dá significado à vida é estar disposto a vivê-la. Não é nenhum acontecimento específico; é a disposição a experimentar todos os acontecimentos.

E se você soubesse que a próxima pessoa que irá encontrar será a última? Você absorveria tudo, experimentaria tudo. Não importa o que ela dissesse; você simplesmente apreciaria ouvir as palavras, porque seria sua última conversa. E se levasse esse tipo de consciência a todas as conversas? É o que acontece quando lhe dizem que a morte está ali na esquina: você muda, não a vida. O verdadeiro buscador está comprometido com a vida em todos os momentos e não deixa que nada o detenha. Por que algo poderia detê-lo? Você vai morrer de qualquer modo.

Se você se desafiar a viver como se esta fosse sua última semana, sua mente pode aparecer com todo tipo de desejo reprimido. Pode começar a falar de todas as coisas que você sempre quis fazer, levando-o a acreditar que é melhor realizar esses desejos. Mas você logo vai ver que essa não é a resposta. É preciso entender que sua tentativa de conseguir experiências especiais é que o faz perder a real experiência da vida. A vida não é algo que você ganha, mas algo que experimenta. Ela existe com ou sem você, há bilhões de anos. Você simplesmente teve a honra de ver uma fatiazinha minúscula dela. Se estiver ocupado tentando conseguir alguma coisa, vai perder a fatia que está realmente experimentando. Cada experiência é diferente e todas elas valem a pena.

A vida não é algo a desperdiçar. Ela é verdadeiramente preciosa. É por isso que a morte é um mestre tão bom. É a morte que torna a vida preciosa. Veja como se sente quando imagina que só lhe resta uma semana. Como a vida seria preciosa se a morte não existisse? Você desperdiçaria todos os segundos, porque não faria diferença. É a escassez que torna as coisas preciosas. É a escassez que transforma uma simples pedra numa joia preciosa.

Portanto, a morte dá significado à vida. A morte é sua amiga, sua libertadora. Pelo amor de Deus, não tenha medo da morte. Tente aprender o que ela lhe diz. A forma mais elevada de aprender é perceber que cada momento da sua vida é importante e deve ser vivido intensamente. Ao viver cada momento completamente, você terá uma vida mais plena e não precisará temer a morte.

Você teme a morte porque anseia pela vida. Você teme a morte porque espera ganhar algo que ainda não experimentou. Muita gente sente que a morte vai tirar algo de si. O sábio, pelo contrário, percebe que a morte está constantemente lhe dando algo. A morte dá significado à sua vida. É você quem joga sua vida fora; você desperdiça cada segundo dela. Entra no carro, vai daqui para ali e não vê nada. Nem sequer está presente. Está mais ocupado pensando no que vai fazer depois. Está um mês à frente, ou até um ano. Não está vivendo a vida; está vivendo a mente. Portanto, é você quem joga sua vida fora, não a morte. Na verdade, a morte o ajuda a ter sua vida de volta fazendo-o prestar atenção no momento presente. Ela o faz dizer: "Meu Deus, vou perder isso. Vou perder meus filhos. Essa pode ser a última vez que os vejo. A partir de agora, vou prestar mais atenção neles e em meu cônjuge e em todos os meus amigos e nas pessoas que amo. Quero muito mais da vida!"

Se você vive cada experiência plenamente, a morte não lhe tira nada. Não há nada a tirar, porque você já está realizado. É por isso que o sábio está sempre pronto para morrer. Não faz diferença quando a morte virá, porque sua experiência já é plena. Suponha que você ama música mais do que tudo. Sempre quis ouvir sua composição clássica favorita tocada por sua orquestra predileta. Era o sonho da sua vida. Finalmente, isso acontece. Você está lá, ouvindo. Isso o preenche completamente. As primeiras notas o elevam até onde você precisava ir. Isso lhe mostra que basta um instante para ser absorvido na paz transcendental. Você não precisa de mais tempo antes da morte; o que você precisa é de maior profundidade nas experiências pelo tempo que tiver.

Esta é a maneira de viver cada momento da vida: deixe que ele o preencha completamente. Deixe que o toque até o mais fundo do seu ser. Não há momento em que isso não seja possível. Mesmo que algo terrível aconteça, considere esse acontecimento apenas mais uma experiência da vida. A morte lhe fez uma grande promessa, na qual você pode encontrar paz profunda. A promessa é que todas as coisas são temporárias: só estão de passagem pelo tempo e pelo espaço. Se tiver paciência, isto também vai passar.

O sábio percebe que, no fim, a vida pertence à morte. É a morte que vem em seu próprio tempo para lhe tirar a vida. A morte é o proprietário, você é apenas o inquilino. Ela vem reivindicar sua propriedade, algo que sempre lhe pertenceu. Você deveria ter uma relação saudável com ela, não deveria ter medo. Sinta-se grato à morte por lhe dar mais um dia, mais uma experiência, e por criar a escassez que torna a vida tão preciosa. Assim, sua vida não será mais sua para desperdiçar; será sua para apreciar.

A morte é a suprema realidade da vida. Os iogues e santos a aceitam inteiramente. São Paulo disse: "Onde está, ó morte, a tua vitória? Onde está, ó morte, o teu aguilhão?" (I Coríntios, 15:55). Grandes seres não se incomodam de falar sobre a morte. Os iogues tradicionalmente vão aos cemitérios e aos campos crematórios para meditar. Sentam-se lá para lembrar a fragilidade do corpo e a inevitabilidade da morte. Os budistas são ensinados a contemplar a natureza temporária das coisas. Tudo é temporário, e isso a morte lhe diz.

Assim, em vez de se perder no falatório mental do dia a dia, por que não contemplar a natureza temporária da vida? Por que não pensar em algo significativo? Não tenha medo da morte. Deixe que ela o liberte. Deixe-a incentivá-lo a experimentar a vida intensamente. Mas lembre-se: a vida não é sua. Por isso experimente a vida que está acontecendo, não a que você gostaria que acontecesse. Não desperdice um momento sequer tentando fazer outras coisas acontecerem; aproveite os momentos que lhe foram dados. A cada minuto, você está um passo mais perto da morte. É assim que se vive a vida, como se você sempre estivesse à beira da morte – porque, na verdade, está.

CAPÍTULO 18

O segredo do caminho do meio

Nenhuma discussão sobre a vida como caminho espiritual estará completa se não abordar um dos ensinamentos espirituais mais profundos, o *Tao te Ching*. Ele discute algo que é muito difícil, aquilo que Lao-tsé chamava de "Tao". Traduzido literalmente, significa "o Caminho". O Tao é tão sutil que só se pode falar dele indiretamente, sem nunca realmente tocá-lo. Nesse tratado, é estabelecida a própria base dos princípios para toda a vida, o equilíbrio entre yin e yang, feminino e masculino, luz e escuridão. Pode-se facilmente ler o *Tao te Ching* sem entender uma única palavra ou derramando lágrimas a cada palavra. A questão é: você está levando a ele o conhecimento, o entendimento e a base para compreender o que ele tenta exprimir?

Infelizmente, os ensinamentos espirituais costumam mascarar a essência da verdade com palavras místicas. Mas esse equilíbrio, esse Tao, é realmente muito simples. Aqueles que verdadeiramente aprenderam os segredos da vida reconhecem essas verdades sem ter lido nada. Se quiser entender o Tao, é preciso assimilá-lo bem devagar e manter a simplicidade. Senão, você pode não conseguir enxergá-lo, embora ele esteja bem à sua frente.

A melhor forma de abordar o Tao é por meio de perguntas muito simples, quase retóricas. Por exemplo, é bom para a pessoa comer às vezes? Sim, é óbvio que sim. É bom para a pessoa comer o tempo todo? Não, é claro que não. Em algum ponto intermediário, você passou sobre o Tao. É bom fazer jejuns periódicos? É. É bom não comer nunca? Não. O pêndulo pode oscilar entre se empanturrar e morrer de fome. Esses são os dois extremos do pêndulo: o yin e o yang, expansão e contração, imobilidade e ação. Tudo tem dois extremos. Tudo tem gradações. Se for aos extremos, você não pode sobreviver. Por exemplo, você gosta de calor? Que tal 3.500°C? Você seria vaporizado instantaneamente. Gosta de frio? Que tal o zero absoluto? As moléculas de seu corpo nunca mais se mexeriam.

Vejamos um exemplo um pouco menos extremo. Você gosta de estar perto de outra pessoa? Que tal ficar tão perto que vocês nunca se separam? Fazem todas as refeições juntos, vão a toda parte juntos e fazem tudo juntos. Quando falam ao telefone, sempre usam o viva-voz para que ambos possam participar da conversa. Vocês querem ficar próximos até se tornarem a mesma pessoa. Quanto tempo acha que isso duraria?

Esse é um extremo nas relações humanas. O outro extremo é você ter seu próprio espaço. Fazer suas coisas. Ser independente. Gostar de estar separado para sempre ter algo a dividir com o outro quando estiverem juntos. Até que ponto você é independente? Bom, vocês viajam separados, comem separados e moram em casas separadas. Em que ponto estarão tão separados que nem sequer poderão saber se estão num relacionamento? Vocês não se veem há anos! Esses dois extremos acabarão do mesmo jeito. Perto demais, longe demais: nos dois casos, em pouco tempo vocês deixarão de se falar. Tudo tem seus extremos, seu yin e seu yang.

Agora, em termos um pouco mais sutis. A temperatura de 3.500ºC não parece tão interessante assim. Nem o zero absoluto. Nem morrer de fome. Nem comer até passar mal. Mas ficar tão perto de alguém a ponto de estarem sempre juntos talvez pareça bem legal. Você talvez quisesse ao menos experimentar. Se esse for o caso, é porque seu pêndulo esteve por tempo demais no outro extremo. Você passou tempo demais sozinho – muitos jantares sozinho, muitos filmes sozinho, muitas viagens sozinho. Em outras palavras, seu pêndulo estava fora do centro.

Com a ajuda da ciência, sabemos que, se puxarmos o pêndulo 30 graus para a direita, ele voltará até ficar 30 graus para a esquerda. Ninguém precisa que Lao-tsé lhe diga isso. Todas as leis são iguais – as interiores e as exteriores. Os mesmos princípios governam tudo no mundo. Se você puxar o pêndulo para um lado, ele percorrerá a mesma distância para o outro. Se passar fome durante dias e alguém puser comida à sua frente, você não será bem-educado. Enfiará tudo na boca como um animal. O grau em que agirá dessa forma é o mesmo em que passou fome suficiente para trazer à tona seu instinto animal.

E onde está o Tao? O Tao está no meio. É o lugar onde não há energia empurrando em nenhuma direção. O pêndulo pode chegar ao equilíbrio em relação a comida, relacionamentos, sexo, dinheiro, ação, imobilidade e tudo o mais. Tudo tem seu yin e seu yang. O Caminho é o local onde essas forças estão silenciosamente em equilíbrio. E, realmente, a menos que você saia do Caminho, elas tendem a se manter em pacífica harmonia. Se quiser entender o Tao, é preciso olhar com mais atenção o que fica entre os dois extremos. Isso porque nenhum extremo pode durar. Quanto tempo o pêndulo fica numa das extremidades? Ele só pode permanecer lá por um momento. Quanto tempo ele pode ficar em repouso? Indefinidamente, porque não há forças para tirá-lo do equilíbrio. Esse é o Tao. É o centro. Mas isso não significa que ele fique estático e fixo. Veremos que ele é muito mais dinâmico.

Primeiro, é preciso perceber que, como tudo tem seu yin e seu yang, tudo tem seu ponto de equilíbrio. É a harmonia entre o tecido de todos esses pontos de equilíbrio que forma o Tao. Esse equilíbrio geral se mantém à medida que se move pelo tempo e pelo espaço. Seu poder é fenomenal. Se quiser imaginar o poder do Tao, observe quanta energia é desperdiçada oscilando para os lados. Suponha que você queira ir do ponto A ao ponto B, mas, em vez de andar até lá diretamente, se mova de um lado para o outro, como uma onda senoidal. Isso exigiria muito tempo, e você desperdiçaria muita energia. Em outras palavras, não é eficiente oscilar ao longo do caminho. Para ser eficiente, você tem que centrar toda a sua energia nele. Se fizer isso, a energia que era desperdiçada indo de um lado para o outro será puxada para o centro. Essa concentração de energia realiza a tarefa com muito mais eficiência. Esse é o poder do Tao. Quando parar de oscilar entre os opostos, você vai descobrir que tem muito mais energia do que imaginava. Aquilo que exige horas de alguém lhe tomará minutos. Aquilo que esgota os outros exigirá de você pouquíssima energia. Essa é a diferença entre lutar com os opostos e ficar centrado ao realizar alguma coisa.

Esse princípio vale para todos os aspectos da vida. Em equilíbrio, você come quando está na hora de comer, e assim mantém a saúde do corpo. Do contrário, vai desperdiçar energia lidando com os efeitos de comer de menos, de comer de mais ou de comer os alimentos errados. É muito mais eficiente lidar com o corpo de maneira equilibrada do que sobrecarregá-lo com o efeito dos extremos.

Basicamente, você desperdiça uma energia enorme com os extremos. Quanto mais extremo for, mais tempo qualquer projeto exigirá. Por exemplo, o relacionamento em que você insiste em que os dois fiquem juntos o tempo todo seria como um emprego em tempo integral. A única maneira de arranjar outro trabalho seria se os dois desempenhassem a mesma função à mesma mesa. No outro extremo, se não tiver nenhum relacionamento e passar o tempo todo solitário e deprimido, você não será capaz de realizar muita coisa. Assim, mais uma vez, é preciso gastar toda a energia para permanecer nos extremos. A ineficiência das ações é determinada pelo grau de distância a que você está do centro. E, nesse mesmo grau, você será incapaz de usar sua energia para viver porque a estará usando para se ajustar à oscilação do pêndulo. Os extremos são bons mestres. Quanto olhamos para eles, é fácil ver os efeitos dos padrões desequilibrados de comportamento.

Vejamos o exemplo de um fumante inveterado. Ele sempre está com um cigarro na boca, acendendo outro. Uma percentagem significativa de sua vida está envolvida em fumar. Ele compra, acende e fuma cigarros. Também se ocupa procurando lugares onde possa fumar. E, como não gosta de ter que sair para isso, passa a fazer parte do comitê favorável a permitir o fumo em edifícios públicos. Observe quanta energia é direcionada ao ato de fumar. Agora, imagine que ele decida parar – não colocar mais um único cigarro na boca. Um ano depois, se lhe perguntarem o que fez no ano passado, ele lhe dirá que parou de fumar. Essa terá sido sua vida no ano passado. Primeiro tentou o chiclete, mas não deu muito certo. Depois tentou o adesivo. Como não funcionou, ele passou para a hipnoterapia. Como estava num extremo com seu cigarro, o pêndulo teve que ir até o extremo oposto para que ele parasse de fumar. Ambas as situações foram um desperdício enorme de tempo, energia e esforço que poderiam ter sido aplicados em aspectos mais produtivos da vida.

Quando você gasta sua energia tentando manter os extremos, nada vai para a frente. Você fica preso num impasse. Quanto mais extremo estiver, menos movimento adiante haverá. Você cava um sulco e fica preso nele. E não haverá energia movendo-o no Tao, pois ela terá sido completamente gasta nos extremos.

O Caminho fica no meio porque esse é o lugar onde a energia fica equilibrada. Mas como impedir o pêndulo de oscilar? Por incrível que pareça, basta deixá-lo para lá. Ele não continuará oscilando a menos que você o alimente com energia. Simplesmente deixe os extremos para lá. Não se envolva com eles, e o pêndulo naturalmente voltará ao centro; quando isso acontecer, você será preenchido pela energia que antes estava sendo desperdiçada e agora está disponível.

Se escolher permanecer centrado, sem se envolver com os extremos, você conhecerá o Tao. Não é possível agarrá-lo ou sequer tocá-lo. Ele é apenas o que a energia faz quando não está sendo usada para oscilar até os extremos. Ela encontra seu caminho para o centro de cada acontecimento e permanece tranquilamente no meio. O Tao é oco, vazio. Como o olho do furacão, seu poder é sua vacuidade. Tudo gira em torno dele, mas ele está imóvel. O torvelinho da vida tira sua energia do centro; e o centro tira sua energia do torvelinho da vida. Todas as leis são a mesma – no clima, na natureza e em todos os aspectos de sua vida.

Quando você não se envolve com a oscilação e fica centrado, a energia naturalmente encontra seu equilíbrio. Você ficará muito mais lúcido, porque muita energia fluirá, subindo dentro de você. A experiência de estar presente a cada momento se tornará seu estado natural. Você não ficará fixado em determinadas coisas nem será capturado por pensamentos sobre os opostos. À medida que você se tornar mais lúcido, os acontecimentos parecerão se desenrolar em câmera lenta. E você não vai mais considerá-los confusos nem esmagadores, não importa quais sejam.

Isso é bem diferente de como a maioria vive. Quase todas as pessoas, quando estão dirigindo e são fechadas por alguém, continuam aborrecidas durante a hora seguinte e talvez pelo resto do dia. Para o ser que está no Tao, os acontecimentos duram apenas o tempo em que se desenrolam. É isso. Se você está dirigindo e alguém o fecha, você sente, em seu coração, sua energia começando a sair do centro. Quando desapega e a deixa para lá, ela volta ao centro. Você não se envolve nos extremos, e assim sua energia volta ao momento presente. Quando o próximo evento ocorrer, você estará lá. Você estará sempre lá, e isso o torna muito mais capaz do que alguém que esteja reagindo a desequilíbrios passados. Quase todo mundo perde o equilíbrio em algum ponto. E, depois que isso acontece, quem fica cuidando de tudo? Quem cuida da energia que se desenrola no momento em que você não está presente? Lembre-se: quem permanece presente e firme em seu propósito chega na frente.

Quando se move no Tao, você está sempre presente. A vida se torna absolutamente simples. No Caminho, é fácil ver o que está acontecendo na vida, que se desenrola bem à sua frente. Mas, se aí dentro há todo tipo de reação porque você está envolvido com os extremos, a vida parece confusa – não porque ela esteja de fato, mas porque você está confuso.

Quando você deixa de estar confuso, tudo se torna simples. Se você não tiver preferências, se a única coisa que quiser for se manter centrado, a vida vai se desenrolar enquanto você simplesmente busca o centro. Há um fio invisível passando por tudo. Todas as coisas se movem em silêncio por esse equilíbrio central. Esse é o Tao. Ele está mesmo lá. Está em seu relacionamento, em sua alimentação e em suas atividades comerciais. Está em tudo. É o olho do furacão. Está completamente em paz.

Para lhe dar uma ideia de como é estar nesse centro, vejamos o exemplo do barco a vela. Primeiro vamos velejar quando não houver vento. Esse é um extremo – e assim não vamos a lugar nenhum. Agora vamos velejar quando houver muito vento, mas nenhuma vela. Esse é o extremo oposto e, novamente, não vamos a lugar nenhum. Velejar é um bom exemplo porque há muitas forças em jogo. Há o vento, a vela, o leme e a tensão dos cabos sobre a vela. Há uma enorme inter-relação de forças. O que acontece se o vento soprar e você deixar a vela frouxa demais? Não dará certo. E se a retesar demais? O barco vira. Para velejar direito, é preciso prender a vela do jeito certo. Mas qual é o jeito certo? É o ponto central de tensão da vela contra a força do vento – nem de mais, nem de menos. É o que chamamos de "ponto ideal". Imagine a sensação quando o vento atinge a vela do jeito certo e você segura os cabos do jeito certo. Você zarpa com uma sensação perfeita de equilíbrio. Em seguida o vento muda, e você se ajusta a ele. Você, o vento, a vela e a água são um só. Todas as forças estão em harmonia. Se uma delas muda, as outras mudam no mesmo instante. É isso que significa mover-se no Caminho.

No Tao da vela, o ponto de equilíbrio não é estático; o equilíbrio é dinâmico. Você vai de um ponto de equilíbrio a outro, de um centro a outro. Não pode ter nenhum conceito nem preferência; é preciso se deixar levar pelas forças. No Caminho, nada é pessoal. Você é um mero instrumento nas mãos das forças e participa da harmonia do equilíbrio. É necessário chegar ao ponto em que todo o seu interesse se concentra no equilíbrio, não em alguma preferência pessoal de como as coisas deveriam ser. É assim com tudo na vida. Quanto mais conseguir trabalhar com o equilíbrio, mais será capaz de simplesmente velejar pela vida. A ação sem esforço é o que acontece quando você entra no Tao. A vida acontece e você está lá – mas você não faz nada acontecer. Não há fardo, não há estresse. As forças cuidam de si enquanto você permanece no centro. Esse é o Tao. É o lugar mais belo da vida. Você não pode tocá-lo, mas pode ser um com ele.

Você finalmente vai ver que, no caminho do Tao, não existe o processo de acordar, ver o que há a fazer e depois realizar. Nele, você se torna um cego e tem que aprender a ser assim. Não é possível ver aonde o Tao vai; só é possível estar lá com ele. Um cego anda pelas ruas da cidade usando uma bengala. Vamos dar um nome a ela: a buscadora dos extremos, a tateadora das bordas, aquela que toca o yin e o yang. Quem anda com o auxílio dessa bengala costuma batê-la de um lado a outro e não está tentando descobrir por onde deve andar, mas por onde não deve. Está procurando os extremos. Quando não se consegue ver o caminho, só se pode tatear as bordas. E se não vai na direção delas, você permanece no Caminho. É assim que se vive no Tao.

Todos os grandes ensinamentos revelam o caminho do meio, o caminho do equilíbrio. Constantemente tente ver se é lá que você está vivendo ou se está perdido nos extremos. Os extremos criam seus opostos; o sábio os evita. Encontre o equilíbrio no centro e você viverá em harmonia.

CAPÍTULO 19

Os olhos amorosos de Deus

Como alguém pode realmente saber algo sobre Deus? Temos muitos ensinamentos, muitos conceitos e muitas opiniões sobre Deus. Mas todos eles foram tocados por pessoas. E é impressionante ver até que ponto nossas ideias sobre Deus se ajustam às diversas culturas de onde provêm.

Felizmente, bem no fundo de nós há uma ligação direta com o Divino. Há uma parte do nosso ser que está além do indivíduo. Você pode escolher conscientemente se identificar com ela – e não com a psique ou com o corpo. Quando o faz, uma transformação natural começa a acontecer. E com o tempo, à medida que observa essa transformação, você vai descobrir como é ir na direção de Deus, como é se mover na direção do Espírito. Essas mudanças interiores refletem a força da qual você está se aproximando. Assim como a chuva molha e o fogo aquece, você pode conhecer a natureza de Deus olhando no espelho de seu eu transformado. Isso não é filosofia; é uma experiência direta.

O crescimento espiritual pode ser experimentado como qualquer outra coisa. Você pode ter passado por uma época na vida em que sentiu muita negatividade, raiva e ressentimento. Sabe como é isso e sabe como se sente em relação aos outros quando está assim. Sabe como seu coração se sente e sabe como são seus pensamentos e ações. Você conhece esse espaço. Não é filosofia; é uma experiência direta.

Se crescer para além dessa parte de si, com o tempo você realmente se afastará dos sentimentos de tensão e ansiedade. Toda a nuvem de vibrações inferiores vai parecer cada vez mais distante do local onde você está assentado aí dentro. A nuvem pode ainda estar lá, mas, se não se identificar nem se agarrar, ela não poderá mais dominá-lo. Ao liberar as vibrações inferiores, você naturalmente para de pensar que elas são você ou que você tenha algo a ver com elas. Quando as deixa para lá, seu Espírito desliza para cima.

Como você sabe que isso acontece? Do mesmo modo que sabe que está respirando, que seu coração está batendo e que tem pensamentos. Você está aí dentro e experimenta isso diretamente.

O que significa deslizar para cima? É a experiência de ficar ainda mais assentado por trás de tudo dentro de si. Você não fica mais preso a seu eu terreno e começa a sentir uma expansão do espaço interior. Parece que há uma distância ainda maior entre você e seus pensamentos e emoções. Você desliza para trás, depois para dentro e para cima.

Como é quando isso acontece? Você não sente mais tanta raiva, medo ou vergonha. Não fica ressentido com os outros. Não se fecha nem sente o coração apertado com tanta frequência. Ainda ocorrem coisas que você não quer que aconteçam, mas parece que elas não chegam a tocá-lo tanto. Elas não podem atingi-lo onde você está porque você está assentado por trás daquela parte de si que reage às coisas. Essa é uma experiência real, não meramente algo que lhe contam. É apenas o que acontece naturalmente quando você desapega e deixa para lá as vibrações inferiores de seu ser. Você desliza para dentro e para cima, para as vibrações mais profundas.

Para onde você vai? Mesmo que não tenha uma base para compreender o que está acontecendo, você ainda assim passa pela experiência inegável de ir a algum lugar. O que começa a sentir é que você está entrando em seu ser espiritual. Quanto menos se associa com as partes físicas e psicológicas de seu ser, mais você começa a se identificar com o fluxo de energia pura.

Como é identificar-se mais com o Espírito do que com a forma? Você costumava andar por aí ansioso e tenso; agora você anda por aí sentindo amor. Você apenas sente o amor, sem razão aparente. Seu pano de fundo é amor. Seu pano de fundo é abertura, beleza e apreciação. Você não precisa fazer nada para se sentir assim; é apenas a maneira como o Espírito se sente. Se lhe perguntarem como é normalmente a sensação do corpo, você pode dizer que, em geral, há um desconforto aqui e outro ali. E a psique? Se for totalmente franco, provavelmente você dirá que, em geral, é cheia de queixas e medos. Bem, e como o Espírito se sente? A verdade é que está sempre bem. Sempre elevado. Sempre aberto e leve.

Por causa disso, você naturalmente começa a ficar cada vez mais centrado na parte espiritual de seu ser. Para isso, não é necessário tentar alcançar o Espírito, apenas desapegar e deixar o resto para lá. Na verdade, não há outro jeito. O eu pessoal não pode tocar o Espírito; é preciso liberá-lo. E quando o faz, você fica por trás de tudo. E mais se eleva. Você se eleva em vibração e no tanto de amor e leveza que sente. Você simplesmente começa a subir. Isso acontece numa progressão contínua e cada vez maior.

Quando você desapega e, por vontade própria, libera os aspectos físicos, emocionais e mentais de seu ser, o Espírito se torna o seu estado. Você diz que não entende o que está lhe acontecendo; mas apenas sabe que, à medida que recua cada vez mais, tudo vai ficando mais bonito. Você começa a experimentar naturalmente as vibrações que foram descritas pelos grandes santos e sábios de todas as tradições. E percebe que também pode ter experiências espirituais profundas e estar "no Espírito, no dia do Senhor" (Apocalipse, 1:10).

Mas, no fim das contas, como se pode realmente saber algo sobre Deus? Como é possível conhecer o que está além de você? Você sabe porque os que foram além voltaram e contaram que o Espírito que você está experimentando é o portal para Deus. Quando desapegaram e deixaram para lá os aspectos inferiores de seu ser, eles experimentaram exatamente o que você está sentindo. Sentiram um amor enorme, o Espírito e a luz despertando dentro deles. Sentiram que nada do que pudesse entrar pelos sentidos seria mais elevado do que o que já estava acontecendo dentro deles. Deslizaram e recuaram cada vez mais, subiram cada vez mais. Então, um dia, de repente, eles não estavam mais lá. Não havia mais a noção de individualidade. Não havia a noção de separação na experiência do amor e da luz. Havia apenas a suprema expansão do Eu fundindo-se com o amor e a luz, como uma gota d'água se fundindo com o oceano.

Quando a gota de consciência que se conhece como indivíduo recua o suficiente, ela se torna como a gota que cai no oceano. O *Atman* (a alma) se junta ao *Paramatman* (a alma suprema). A consciência individual cai no Uno Universal. É isso.

Quando isso acontece, as pessoas dizem coisas interessantes como "Eu e o Pai somos um" (João, 10:30) e "As palavras que eu lhes digo não são apenas minhas. Pelo contrário, o Pai, que vive em mim, está realizando a sua obra" (João, 14:10).

Todos eles disseram coisas assim. Que se fundiram e que não havia diferenciação no Uno Universal de Deus. A gota de consciência que é o Espírito individual é como um raio de luz emanando do sol. O raio individual não é realmente diferente do sol. Quando a consciência deixa de se identificar como raio, ela passa a se conhecer como o sol. Os seres se fundiram nesse estado.

No evangelho místico de João, Cristo diz: "Para que todos sejam um, Pai, como tu estás em mim e eu em ti... Que eles também sejam um em nós [...]. Eu neles e tu em mim. Que eles sejam levados à plena unidade" (João, 17:21-23). E assim foi ensinado nos Vedas hindus; assim foi ensinado na Cabala judaica; assim foi escrito pelos grandes poetas místicos sufis; e assim foi ensinado em todas as grandes tradições religiosas de todos os tempos. Esse estado existe; é possível se fundir com o Absoluto Universal. É possível se fundir com Deus.

É assim que se sabe algo sobre Deus. Você se torna um com Ele. A única maneira de saber algo sobre Deus é deixando seu ser se fundir no Ser e depois ver o que acontece. Essa é a consciência universal, e as características dos seres que alcançaram esse estado profundo são semelhantes em todas as religiões.

O que acontece com aquele que percorre esse caminho rumo a Deus? Por quais transformações essa pessoa passa ao longo do caminho? Para entender isso, imagine o que aconteceria se você começasse a sentir um amor enorme por todas as criaturas, por todas as plantas, por todos os animais e por todas as belezas da natureza. Imagine se cada criança parecesse ser sua e cada pessoa que você visse parecesse uma linda flor, com a própria cor, a própria expressão, o próprio formato e os próprios sons. À medida que fosse cada vez mais fundo, você começaria a notar algo fenomenal: não haveria mais julgamentos. O processo de julgar simplesmente teria parado. Só restaria apreciação e reverência. Onde antes havia julgamento, agora haveria respeito, amor e alegria. Diferenciar é julgar. Ver, experimentar e reverenciar é participar da vida em vez de ficar de fora e julgá-la.

Quando caminha por um lindo jardim botânico, você se sente leve e aberto. Sente amor e só vê beleza. Não julga o formato e a posição de cada folha. Elas são de todos os tamanhos e formas e se viram em todas as direções. É isso que as torna belas. E se você se sentisse assim em relação às pessoas? E se elas não tivessem todas que se vestir do mesmo jeito, acreditar nas mesmas coisas ou se comportar da mesma maneira? E se fossem como as flores, belas de qualquer forma?

Se isso acontecesse, você teria um vislumbre de Deus. Essa é a melhor maneira de conhecê-Lo. Observe o que acontece quando você se aproxima d'Ele. Essa é realmente a única maneira de saber algo sobre Deus. Se resolver ler sobre Deus num livro, você encontrará outros cinco que dizem o contrário. Melhor ainda: encontrará cinco interpretações do mesmo livro. Alguém escreve algo e outro faz uma tese de doutorado para provar que aquilo está errado. Se colocar sua busca de Deus no nível mental, sempre haverá alguém para discordar de você. Isso tudo é parte do jogo da mente.

Não se pode conhecer Deus dessa maneira. Isso precisa vir da experiência real. É isso que acontece quando você medita, quando você desapega de seu eu inferior. Você desliza para o Espírito, e essas transformações ocorrem dentro de você. Só é necessário notá-las para começar a perceber a tendência rumo às características do Divino. Quanto mais você recuar, mais verá essas características dentro de você. A cada passo do caminho, você terá um vislumbre mais claro de como deve ser estar assentado nesse Estado Divino.

Há aqueles que sabem da existência da Força Divina. Eles tiveram a experiência interior direta e por isso sabem que a Consciência Divina é uma realidade. Tiveram vislumbres de uma força que é onisciente, onipresente e onipotente, uma força que tem consciência de todas as coisas o tempo todo, que é universalmente consciente.

Como é a criação nesse Estado Divino? O que os que foram além viram ao olhar através dos olhos de Deus? Que não há mais julgamento, apenas beleza. Um ser desses sente: "Agora posso ver todas as flores ao mesmo tempo. Agora posso sentir como está cada um dos meus filhos e toda a minha diversidade. Agora posso sentir mais amor, mais compaixão, mais compreensão e mais admiração por todas as diversas ações e expressões de minha criação." É assim para o santo. E o verdadeiro santo reside com Deus.

E se for mesmo verdade que Deus não julga? E se Deus estiver apenas amando? Todos sabemos que o verdadeiro amor não julga. O amor vê somente beleza no amado. Não há impureza. Não há sequer essa possibilidade. Não importa o que contemple, tudo é beleza. É assim que o verdadeiro amor vê. É assim que tudo fica pelos olhos do amor. Portanto, se Deus é amor, como deve ser olhar por Seus olhos, os olhos cheios de amor infinito e compaixão incondicional?

Se já amou alguém de verdade, você sabe o que o verdadeiro amor significa. Você ama o outro mais do que a si mesmo. Quando ama alguém de verdade, seu amor vê além da humanidade do outro. Ele envolve todo o ser do outro, inclusive os erros do passado e os defeitos de agora. É como o amor incondicional de uma mãe. A mãe devota cada momento da vida à criança com deficiência física ou mental. Ela a acha linda e não se concentra em suas limitações; na verdade, ela nem as vê como tal.

E se for assim que Deus olha Sua criação? Você nunca soube disso se lhe disseram outra coisa. Em vez de ser incentivado a se sentir completamente protegido, amado, honrado e respeitado pela Força Divina, ensinaram-lhe que você está sendo julgado. Por isso você sente culpa e medo. Mas culpa e medo não abrem sua conexão com o Divino; só servem para fechar seu coração. A realidade é que o caminho de Deus é amor, e você pode ver isso com seus próprios olhos. Se, mesmo que só por um momento, conseguir olhar alguém com os olhos do verdadeiro amor, você saberá que esses olhos não são seus. Seus olhos jamais conseguiriam olhar com tamanho amor. Eles nunca poderiam ser incondicionais. Nem em um milhão de anos seus olhos conseguiriam ver apenas beleza e total perfeição no ser amado. Esses são os olhos de Deus olhando através de você.

Quando a mão de Deus se estende para dar através de você, não há nada que você não dê. Você daria seu último suspiro sem pensar duas vezes. Nem lhe passaria pela cabeça hesitar. Você daria tudo e qualquer coisa pela pessoa amada. Quando sente um amor profundo assim, você sente que ele vem de algo maior. É um amor transcendental. É divino, incondicional e altruísta. Os mestres falam desse amor. Os que foram além disseram que esse é o estado que alcançamos quando deslizamos para o Espírito. É assim que o Espírito olha sua criação. Isso é o que deveriam lhe ensinar. Não importa o que você faça, não importa o que tenha feito, você sempre será amado por Ele.

Quando contou a história do filho pródigo a seus discípulos, Cristo falou de um filho que partiu e dissipou toda a sua fortuna. Mas, quando ele voltou para casa pedindo ajuda, o pai o tratou melhor do que ao filho que havia ficado em casa e trabalhado. Cristo explicou que era assim porque este sempre estivera em casa, enquanto aquele tinha se perdido e o pai sentira sua falta. Não houve julgamento, apenas amor (Lucas, 15:11-32).

Cristo também disse: "Se algum de vocês estiver sem pecado, seja o primeiro a atirar pedra nela" (João, 8:7). O que ele estava ensinando? O que estava dizendo? Como enxergava este mundo? Ele estava ensinando o amor completamente compassivo e altruísta. Cristo pendeu na cruz ao lado de ladrões e assaltantes e, quando um ladrão pediu para ser lembrado, disse que naquele mesmo dia estaria com ele no paraíso (Lucas, 23:39-43). Quais foram suas primeiras palavras na cruz? "Pai, perdoa-lhes, pois não sabem o que estão fazendo" (Lucas, 23:34). Esse é o amor de uma mãe. É assim que a mãe fala do filho. O nível de amor e compaixão é tão profundo que não há nada de errado que a criança possa fazer. Se a mãe consegue atingir o amor altruísta, que dirá Deus, o criador do amor.

Quer saber como Deus vê este mundo? Quer saber o que Ele acha dos diversos tipos de pessoa? Então olhe o sol. O sol brilha mais sobre um santo do que sobre os outros? O ar está mais disponível para o santo do que para os demais? A chuva cai nas árvores de um vizinho mais do que nas do outro?

Você pode desviar os olhos da luz do sol e viver cem anos na escuridão. Porém, se resolver voltá-los para a luz, ela ainda estará lá. Estará lá para você, assim como para a pessoa que aproveitou seu brilho durante cem anos. Toda a natureza é assim. O fruto da árvore se entrega de boa vontade a todos. Alguma força da natureza faz distinções? Algo da criação de Deus, além da mente humana, realmente faz julgamentos? A natureza é toda dádiva a quem quiser receber. Mas se você preferir não receber, ela não vai puni-lo. É você se pune por ter escolhido não receber. Se disser à luz "Não vou olhar você. Vou viver nas trevas", ela continuará brilhando. Se disser a Deus "Não acredito e não quero ter nada a ver com você", você continuará a ser sustentado pela criação.

Sua relação com Deus é a mesma que você tem com o sol. Esconda-se por anos de sua luz e depois resolva sair da escuridão; o sol ainda estará brilhando como se você nunca tivesse partido. Não é preciso pedir desculpas. Basta levantar a cabeça e olhar para ele. Também é assim quando decide se voltar para Deus: você simplesmente o faz. Se, em vez disso, permitir que a culpa e a vergonha entrem em seu caminho, isso é apenas seu ego bloqueando a Força Divina. Você não pode ofender o Divino; sua própria natureza é luz, amor, compaixão, proteção e doação. Você não pode fazer com que Ele pare de amá-lo. É como o sol. Você não pode fazer com que ele pare de brilhar sobre você; pode apenas optar por não olhar. Mas, assim que olhar, verá que ele ainda está lá.

À medida que deslizar de volta ao Espírito, você vai ver que aqueles são os olhos que olham este mundo. Aquele é o coração que brilha sobre tudo e todos. Através daqueles olhos, a mais miserável das criaturas parece bela. Essa é a parte que ninguém entende. As pessoas dizem que Deus chora quando olha esta Terra.

Porém o santo vê e sabe que Deus entra em êxtase quando olha para esta Terra, sob qualquer condição e a qualquer momento. Êxtase é a única coisa que Deus conhece. A natureza de Deus é felicidade eterna e consciente. Não importa o que tenha feito, não será você que virá a arruiná-la.

A beleza é que você pode experimentar esse êxtase. E, quando começar a sentir essa felicidade, conhecerá a natureza de Deus. Então ninguém será capaz de irritá-lo ou decepcioná-lo. Nada criará problema. Tudo parecerá fazer parte da bela dança da criação que se desenrola à sua frente. Seu estado natural será cada vez mais elevado. Você sentirá amor em vez de vergonha. Em vez de não erguer os olhos para o Divino por causa de algo que disse ou fez, você O verá como um lugar de refúgio incondicional.

Contemple esse fato e abandone a ideia de um Deus julgador. Você tem um Deus amoroso. Na verdade, você tem o próprio amor como Deus. E o amor não pode ser outra coisa senão amor. Seu Deus está em êxtase e não há nada que você possa fazer para mudar isso. E, se Deus está em êxtase, eu me pergunto: o que será que Ele vê quando olha para você?

Referências Bibliográficas

Freud, Sigmund. *The Ego and the Id*. Tradução autorizada de Joan Riviere. Londres: Leonard & Virginia Woolf, Hogarth Press e Institute of Psycho-Analysis, 1927.

Bíblia Sagrada: Nova versão internacional.

Maharshi, Ramana. *The Spiritual Teachings of Ramana Maharshi*. Boston: Shambhala Publications, Inc, 1998.

Dicionário Merriam-Webster. Merriam-Webster's Collegiate Dictionary. 11ª ed. Springfield, Massachusetts: Merriam-Webster, 2003.

Microsoft Encarta Dictionary, Microsoft. Acessado em 17 de abril de 2007. http://encarta.msn.com/encnet/features/dictionary/dictionaryhome.aspx.

Platão. *A república*. Tradução, introdução e notas de Robin Waterfield. Nova York: Oxford University Press, Inc, 1998.

Yamamoto, Kosho. *The Mahaparinirvana Sutra*. Tradução do chinês de Kumarajiva. *The Karin Buddhological Series No. 5*. Yamaguchi-ken, Japão: Karinbunko, 1973.

Agradecimentos

As sementes desta obra foram plantadas muitos anos atrás quando Linda Bean estava transcrevendo algumas palestras minhas e me incentivou a escrever um livro. Com paciência, ela trabalhou com anos de material arquivado até a hora de eu começar a escrever. Sou profundamente grato por seu compromisso e sua dedicação a este projeto.

Depois que comecei a escrever, Karen Entner me ajudou na organização, fazendo sugestões de conteúdo e cuidando do manuscrito. Trabalhamos juntos para editar versão após versão até o fluxo das palavras trazer paz ao coração, à mente e à alma. Sou muito grato por sua dedicação e seu trabalho sincero. A publicação deste livro foi a realização de um dos sonhos da vida dela.

CONHEÇA ALGUNS DESTAQUES DE NOSSO CATÁLOGO

- Augusto Cury: Você é insubstituível (2,8 milhões de livros vendidos), Nunca desista de seus sonhos (2,7 milhões de livros vendidos) e O médico da emoção
- Dale Carnegie: Como fazer amigos e influenciar pessoas (16 milhões de livros vendidos) e Como evitar preocupações e começar a viver
- Brené Brown: A coragem de ser imperfeito – Como aceitar a própria vulnerabilidade e vencer a vergonha (600 mil livros vendidos)
- T. Harv Eker: Os segredos da mente milionária (2 milhões de livros vendidos)
- Gustavo Cerbasi: Casais inteligentes enriquecem juntos (1,2 milhão de livros vendidos) e Como organizar sua vida financeira
- Greg McKeown: Essencialismo – A disciplinada busca por menos (400 mil livros vendidos) e Sem esforço – Torne mais fácil o que é mais importante
- Haemin Sunim: As coisas que você só vê quando desacelera (450 mil livros vendidos) e Amor pelas coisas imperfeitas
- Ana Claudia Quintana Arantes: A morte é um dia que vale a pena viver (400 mil livros vendidos) e Pra vida toda valer a pena viver
- Ichiro Kishimi e Fumitake Koga: A coragem de não agradar – Como se libertar da opinião dos outros (200 mil livros vendidos)
- Simon Sinek: Comece pelo porquê (200 mil livros vendidos) e O jogo infinito
- Robert B. Cialdini: As armas da persuasão (350 mil livros vendidos)
- Eckhart Tolle: O poder do agora (1,2 milhão de livros vendidos)
- Edith Eva Eger: A bailarina de Auschwitz (600 mil livros vendidos)
- Cristina Núñez Pereira e Rafael R. Valcárcel: Emocionário – Um guia lúdico para lidar com as emoções (800 mil livros vendidos)
- Nizan Guanaes e Arthur Guerra: Você aguenta ser feliz? – Como cuidar da saúde mental e física para ter qualidade de vida
- Suhas Kshirsagar: Mude seus horários, mude sua vida – Como usar o relógio biológico para perder peso, reduzir o estresse e ter mais saúde e energia

sextante.com.br